頭がいい人のモノの言い方

デキる！と思われる45のフレーズ

齋藤孝

きずな出版

はじめに
言葉を変えると、思考が変わる

「言いたいことが伝わらない」
「考えがうまくまとまらない」
「意見を言っても、なかなか通らない」
「いいアイデアが浮かばない」

いま、社会人の多くがこうした悩みを抱えています。仕事の効率性とスピードを求められ、コミュニケーション力と思考力が、ますます重視されるようになったことも大きな理由でしょう。

では、どうすればその2つの能力を高めることができるでしょうか？

1つはっきり言えるのは、

「話し方を変えれば、思考が変わり、頭もよくなる」

ということです。

頭の良し悪しは、その人が使う言葉に表れます。

初対面の人でも、少し話を聞いただけで、「ああ、この人は頭がいいな」と感じる話し上手な人がいます。反対に、話が長すぎたり、短すぎたりして要領を得ず、「結局、なにが言いたいの？」と思ってしまう話し下手の人がいます。

両者の一番の違いは「言葉の使い方」が違う点です。話し言葉に限定すれば、「モノの言い方」が違うといってもいいでしょう。

人間の思考は、使っている言葉によって決定されます。自分が日常的に使う言葉を意識的に変えることで、思考習慣が変わります。

意図的に言葉を変えれば、物事を俯瞰《ふかん》したり、相手の目線に立ったり、時間軸をずらして見ることができるので、相手が納得できるように思考を整理した話ができるようになるのです。

たとえば、「視点を変えると」という言い回しを意識的に使うようになると、自然といつもの自分とは違う視点から物事を捉えたり、考えたりするようになるのです。

使える言葉のフレーズが増えると、思考も多様化していきます。

思考が多様化すると、自分の主観や思い込みにとらわれて空回りすることが少なくなり、客観的かつ論理的な考え方ができるようになります。

それは、思考のスピードが速くなることを意味します。

いまの時代は、何事においても「スピード」が要求されます。とくにビジネスの世界では効率よく仕事を進めたい人が増えているため、話すのも書くのも簡潔な言葉が求められるようになりました。

まわりくどい説明をする人や、話がダラダラ長い人は、相手の貴重な時間やエネルギーを奪うので、敬遠されることが多くなったのです。

話し相手に不満やイライラを感じさせると、「この人の話はわかりにくくて面倒だ。仕事ができない人だ」と思われてしまいます。

自分がそうならないためには、コミュニケーション力とそのベースになる思考力を同時に鍛える必要があるのです。

私の周りにも、「**言葉遣いが思考能力の高さを表している**」と感じる人がたくさんいます。とくに東京大学時代の同窓生は、いまでも一緒に食事をしたり飲んだりする仲ですが、みんな話の仕方に一定の特徴があります。端的に言うと、言葉遣いに無駄がなく、会話が上手でスピーディなのです。

もし、彼らとの飲み会を初めての人が見たら、「これは本当に飲み会なのだろうか？」と狼狽《ろうばい》するほど、会話の美しいパスが整然と回っていくのです。だれかがある話題を持ち出すと、別のだれかがそれを引き受けて話を広げ、また別のだれかがその話をキャッチしてさらに展開させていきます。

それはまるで、ＦＣバルセロナの鍛え抜かれた選手たちの美しいパス回しを見ているようです。彼らの素晴らしい会話の連携プレーに、いつもため息が出るほどです。

もちろん、話があちこち飛んで、展開などわからないような錯乱した飲み会も好きですし、それこそが飲み会の醍醐《だいご》味《み》ともいえます。

しかし、そういう場でも自分を失わずコミュニケーションできる人は、**普段から言**

葉の使い方を鍛えているからこそ、いつでも自然と美しい会話のパスができるのです。

言葉遣いと思考方法を変えるもっとも良い方法は、言葉遣いが上手な、頭のいい人の話し方を身近で見聞きし、真似してみることです。

言葉遣いに自信がない人でも、赤ちゃんが周りの会話を聞いて言葉を覚えていくように、真似することで言葉の貯金は着実に増えていきます。

ただ、ここで難点があります

たとえば、野球には高校野球、実業団野球、プロ野球とレベル別に種類があります。

素人であっても、超一流のプロのプレーをテレビを通じて見て、真似することができます。

しかし、ビジネスシーンにおけるメジャーリーグ級の、超トップの人たちの話し方、考え方を見聞きできる人はそう多くはありません。私はつねづね、これはもったいないことだと思っていました。

本書では、私が日頃から出会う頭のいい人たちのモノの言い方をまとめ、多くの方

の参考になるようにしました。

まずはどれか1つでもいいので、この本で覚えたフレーズを口に出して使うようになれば、それによってあなたの思考様式が変わり、「これはこういうことなのか」と頭のなかも整理されていきます。

なお、本書で紹介している言葉は、メールやチャットで使うのもおすすめです。メールにも人格が表れますから、そういう人とは安心して仕事することができるのです。

本書で覚えたフレーズを繰り返し使うことによって、コミュニケーション力と思考力が同時に高まっていく楽しさを実感いただけると嬉しいです。

齋藤孝

もくじ

第1章 語感を和らげて提案する

第2章

抽象と具象のバランスをとる

第3章

さまざまな「視点」でモノを見る

第4章

「事実」と「意見」を区別する

第5章
「本音」と「根拠」を織り交ぜる

装　丁　渡邉民人（TYPEFACE）
本文デザイン　清水真理子（TYPEFACE）
編集協力　樺山美夏
校　正　鷗来堂

第1章

語感を和らげて提案する

これまでのやり方を
改善したいときは……

アップデート
すると

変化が激しい時代に必要な口ぐせ

変化の激しい時代を生きていると、ピーター・ドラッカーの言葉のように「今日の常識は明日の非常識」ということもめずらしくなくなります。キャッシュレスの習慣があっという間に社会に浸透したように、みなさんの周りでも日々変化は起きているのではないでしょうか。

そんな状況に対応するため、口癖のように使ってもおかしくないのが「**アップデート**」という言葉です。

アップデートは「更新」「前の状態を改める」という意味です。つねに新しい情報をインプットし、**自分の考え方や価値観を柔軟にアップデートできる人のほうが、仕事でも人間関係でも変化に強くなり、臨機応変に対処できます。**

反対に、いつも同じことの繰り返しでなかなか変われないと思っている人は、「～

＋αの語彙力

【オーガナイズ】
組織すること、計画すること。
「今回は部長にオーガナイズしてもらおう」

をアップデートして」という言葉をあえて口ぐせにしてみてください。たとえば、「**これからは議事録のつくり方をアップデートして、リアルタイムでメンバーと共有できるシステムに変更します**」といった使い方をすると、デキる人という印象を持たれるでしょう。

スマホなどのアプリケーションをアップデートするように、人間の思考のOS（オペレーティング・システム）もアップデートが必要な時代なのです。

いままでの仕事の仕方や考え方を見直して、効率的に変えたほうがいいと思うことはどんどんアップデートしていきましょう。

カタカナ語は強力な武器

アップデートと似たカタカナ語に「**バージョンアップする**」というのもありま

+αの語彙力

【イシュー】
論点、争点。
「議論を始めるにはまずイシューを定めなければ」

す。これも、「パソコンのＯＳをバージョンアップする」というように、ＩＴの世界でよく使われる言葉です。日本語に言い換えると、「改訂する」「高性能化する」「高級化する」といった言葉に近いのですが、「ソフトを改訂する」とは言いませんよね。

　そもそも、コンピューターやインターネット関連の用語は業界用語のようなものなので、カタカナ語で説明するのがもっとも適切なのです。カタカナ語を使いこなせない人は仕事ができない人、と思われてしまいます。

　上の世代にはカタカナ語を嫌う人もいますが、**日本語の最大の良さは柔軟性です。**漢字ももともと外来語なのですから、カタカナ語は毛嫌いしないで、強力な武器として使いこなしましょう。

覚えておきたい
モノの言い方

アップグレードする
リニューアルする
モデルチェンジする

思い切ったことを
提案したいときは……

暫定的《ざんてい》な
措置《そち》として

「とりあえず」より大人な言い回しを

前例にはない革新的なことを提案したとき、既存のやり方に慣れている人から反対されることはよくありますよね。

そんなときに役立つのが、「暫定的」という言い方です。

これは、**正式に結論を定めるまでの一時的な措置**、という意味です。

もっとくだけた「とりあえず」「いまだけの」という言い方もありますが、これだといかにも間に合わせ的な感じで不安を与えてしまいます。相手を説得するなら、「**暫定的な措置として～**」のほうがロジカルで説得力が増します。

たとえば、

「**3ヶ月間、暫定的な措置としてオンラインによるサービスを導入した上で、顧客の評判が良ければ全面的に移行する予定です**」

+αの語彙力

【漸進《ぜんしん》する】

段階を踏んで少しずつ進むこと。

「この交渉は漸進的に進めよう」

といった、段階的な取り組みについて説明する場合は適切でしょう。

何事もやってみなければわかりません。暫定的な措置をとることで、「すごくいい改革ですね！」と実感を得られれば、うまくいくことが多いのです。

一方、問題が起きたときのトラブル対処にも、

「暫定的にサービスをストップして、３ヶ月間で問題解決に向けた対策をとりましょう」

という言い方ができます。ぜひ活用してみてください。

一刻を争うほど問題が深刻なときは？

一方、「これはヤバい！」と思って、全面的な改革を打ち出したいときに使う「**抜本的**」という言い方もあります。「抜本的」には、「問題の原因の根本を引っこ抜く」

+αの語彙力

【照応《しょうおう》する】
２つのものが対応していること。
「文章の主語と述語を照応させる」

というような意味がありますので、かなり強い言葉です。

その場しのぎの対策でどうにもならないときは「**抜本的な改革が必要です！**」と言い切ってしまったほうが、「そこまで深刻な状況なのか……」と相手が思って、同意を得られやすいケースもあります。

そこまで刺激的な言葉を使いたくない場合は、「**ラディカルに**」という言い方もおすすめです。「革新的、根本的」という意味ですが、カタカナのほうが直接的な意味が柔らぐので耳当りがいいのです。

いままでの当たり前をガラッと変えたり、相手がびっくりしそうなアイデアを提案するとき、「**これはラディカルな案ですけれども……**」と前置きすると、「なになに、どんな話だろう？」と相手も聞いてくれるので話を進めやすくなります。

覚えておきたい
モノの言い方

さしあたっては

次善の策として

一時的には

意見が対立して
しまったときは……

折衷案《せっちゅうあん》として

頭がいい人は意見のゴリ押しをしない

ビジネスで意見の対立はつきものです。意見の対立をうまくまとめることが求められるシーンは、どんな仕事でもあるでしょう。

異なる立場の人の正反対の意見で板挟みになり、悩む人も多いのではないでしょうか。あるいは自分の提案が上司やクライアントに受け入れてもらえない事態もあると思います。

そんなとき、**相手の意見、提案に真正面から逆らい、自分の意見をゴリ押しするのは、あまり賢いやり方とは言えません。**

もちろん、どうしても譲れないことなら徹底抗戦するのもダメではありませんが、その結果として相手との間にわだかまりが残ると、そのあとの仕事がうまくいかなくなってしまうようなデメリットが多いからです。

＋αの語彙力

【仄聞《そくぶん》する】
ほのかに聞くこと。ちらっと聞くこと。
「私が仄聞した限りでは～」

そういうときに便利な言葉が「**折衷案**」です。折衷案とは、2つ以上の異なる意見のいいところを抜き出したりして、間を取った考えのことです。

たとえば新しいウェブサイトのデザインを決める際、自分の気に入ったデザイン案とクライアントの気に入ったデザイン案が異なっていたケースを考えてみます。具体的には、こんな言い方ができますよね。

「**折衷案として、全体の色味とヘッダーのデザインは○○さんがご提案してくださったものにし、コンテンツの部分の見せ方は私の提案したものにしてみるのはいかがでしょうか**」

このような言い方をすれば、相手が全面的に突っぱねることは激減するはずです。

問題はアウフヘーベンさせよう

+αの語彙力

【知悉《ちしつ》する】
細かいところまで知っていること。
「あの人がこの分野に知悉しているから意見を聞こう」

ビジネスで大切なのは「**落とし所を見つける**」ことです。利害関係を調整し、関係者全員が納得するように仕事を進めるのが、頭のいい人の仕事のやり方です。この大前提は、忘れてはいけません。

哲学者のヘーゲルが提唱した弁証法という考え方では、2つの異なる意見（テーゼとアンチテーゼ）をジンテーゼという意見に統合します。このことを「**アウフヘーベン（止揚《しよう》）する**」という言い方をします。

これらの言葉は一般的ではないので、ビジネスシーンで使う必要はないと思いますが、考え方、議論の仕方として学ぶと、仕事でもたいへん役に立つでしょう。

覚えておきたい
モノの言い方

落とし所としては

双方の意見を取り入れると

間を取って

「なんだか不便な状況」を
変えたいときは……

システム思考的
には

既存のシステムや制度を見直す視点

つねに進化を求められるビジネスの世界において、受け身でなにもしない人は周りの人たちの足を引っ張ることになります。

私が総合指導をしているＮＨＫ・Ｅテレの番組「にほんごであそぼ」の会議でも、黙っておとなしく座っている人は一人もいません。

みんなで10も20もアイデアを出し合って意見を交換し、そのあとの飲み会まで含めると6～7時間も打ち合わせが続くこともあるんですね。

そのように、**ビジネスの世界で求められているのは、創造的、生産的、効率的なアイデアをつねに考えている人です。**

そして、新しいことをするために必要な古い制度やシステムの見直しまでできる人なのです。

+αの語彙力

【敷衍《ふえん》する】
抽象的なことを具体的に説明すること。
「ここでのポイントを敷衍して説明すると」

すべての物事には「関係性」がある

私の教え子で、インターンに行った会社のコンピューターシステムの効率の悪さに気がついて、古いシステムを全面的に変えて戻ってきた女子学生がいました。当然ながら、その会社から「ウチにぜひ来てほしい」と言われたそうです。

おそらく、そこで働いている人たちは、「なんか不便だよね」「使いにくいよね」といった不満を持ちながら、だれも問題を解決しようとしなかったのでしょう。

そこへポンと入ってきた大学生が、「**このシステムは変えたほうがいい**」と率直に指摘して、あっという間に改革したわけです。

こういったケースはこれからどんどん増えていくと思います。

その際、「**システム思考的には〜**」というモノの言い方がパッと出てくると、「なんか不便だよね」と思ったときの問題解決の一歩が踏み出せるようになります。

＋αの語彙力

【半可通《はんかつう》】
知ったふりをすること。
「半可通な知識で恐縮ですが〜」

「システム思考」というのは、ピーター・センゲが提唱した理論の1つの柱です。

この理論は世界中に広まり、日本でも10年ほど前に、『学習する組織――システム思考で未来を創造する』（英治出版）という翻訳書が出てベストセラーになりました。

世の中のビジネスは、なにかの要素がほかの要素に影響を与えながら複雑に関連して成り立っています。

その全体像を俯瞰して「システム」としてとらえることで、より効果的で望ましい解決策や方法を探し出す考え方です。

現代のビジネスシーンでは非常に重要な考え方ですから、まずは言葉を覚えて、ぜひ学んでほしい思考法なのです。

覚えておきたい
モノの言い方

関連性を考えると

ボトルネックは

ありがちなパターンは

失敗して
クヨクヨしているときは……

ポジティブに
考えると

失敗も言葉1つでプラスに変わる

どんな人にも、ポジティブな側面とネガティブな側面がありますよね。しかしビジネスにおいては、基本的にすべてポジティブにとらえることが大事なのです。

たとえばクレーム対応などに追われている間は、どうしてもネガティブな気持ちになります。それでも、

「ポジティブに考えると、今回のトラブルのおかげでシステムの穴が見つかった」

「ポジティブに考えると、今回の一件で、ほかの数十件に及ぶ類似商品のクレームも未然に防ぐことができた」

などとメリットを1つでも見つけられれば、その後のビジネスに活《い》かせます。

反対に、ネガティブな思考にばかりとらわれて、トラブルの火元になった犯人捜《さが》し

＋αの語彙力

【アウトライン】
輪郭、下書き、概要。
「企画のアウトラインをまとめました」

をしたり、責任を押しつけ合って揉めたりすることほど無駄なものはありません。

トラブル対処だけで疲れ切って、「こんなトラブルはもうこりごりだ」と、ぐったりしてしまいます。それに、ネガティブな気持ちのまま終わってしまうと、次からの仕事も気持ちが後ろ向きになって悪影響が出てしまうものです。

自分がミスを犯したとき、クヨクヨ落ち込んだり、言い訳や責任転嫁をしたりするのも逆効果です。それよりも、

「**このような経緯でミスをしました。関係者にすぐお詫びして対策を考えます**」

と、冷静かつスピーディに算段を考える人のほうが信頼を得られるのです。

ポジティブな人は失敗を活かせるからこそ、失敗するたびに成長していくのです。

気持ちを切り替えたいときは口に出す

+αの語彙力

【アサイン】
仕事を割り当てること。
「今回は私が各役割をアサインします」

ネガティブからポジティブに物の見方を変えるには、気持ちの切り替えが必要です。しかも、切り替えは早ければ早いほうがいいのです。

そのためのコツは、「**気持ちを切り替えると～**」、「**ポジティブに考えると～**」と口に出して言ってしまうことです。

そうすると聞いているほうも、「ポジティブに考えるとどういう見方ができるのだろう？」と心の準備ができますよね。

トラブルにもポジティブに対処できると、「この人には安心して仕事を任せられる」と思ってもらえるようになるのです。ですから、転んでもただでは起きないつもりで、ぜひポジティブ思考を身につけてください。

覚えておきたい
モノの言い方

これで学べたのは

前向きにとらえると

この失敗をバネに

新しいことに
挑戦するときは……

万が一の場合に
備えて

コンプライアンスが重要な時代

論語に、遠い将来のことを見越してよくよく考えることをしないと、近い将来に必ず心配事が起こるという意味の言葉があります。

「遠き慮《おもんばか》りなき者は必ず近き憂《うれ》いあり」です。

最近は、「危機管理」という言葉をよく耳にするようになりました。地震や災害に対してよく使われますが、ビジネス用語としても定着している言葉です。

コンプライアンス（法令遵守《じゅんしゅ》）が重視される現代では、「あらゆる可能性を想定して万が一の場合に備えたほうがいい」という考えが一般的になってきたからです。

とくにインターネットが社会のインフラになった現代は、１つのトラブルが原因で、取り返しがつかない事態を招くこともめずらしくありません。ＳＮＳ（ソーシャルネットワーキングサービス）などですぐ拡散されるからです。

＋αの語彙力

【人口《じんこう》に膾炙《かいしゃ》する】

広く、人々によく知られること。

「新しいサービスもすっかり人口に膾炙した」

たとえば、誤解を与えかねない商品名なら全国的に回収することになったり、非難やクレームが殺到したＣＭであれば放送中止になったり。１つのトラブルが１００倍、１０００倍になって返ってくることもめずらしくありません。

「万が一」の一言で相手も安心できる

新しいことにチャレンジすることは必要ですが、リスクはつきものです。そのため、「万が一のことが起きた場合どうするか？」をつねに考えておく必要があるのです。

事業計画を説明するときも、

「**万が一のときに備えて、こういった問題が起きた場合はこのように対処します**」

と、想定できるリスクと対策を伝えると、ワンランク上の人だと思われます。

＋αの語彙力

【端倪《たんげい》すべからず】
推し量ることができない。
「端倪すべからぬ事態に陥る前に～」

万が一の場合に備えたマニュアルをつくっておくことも、自分はもちろん関係者にも役立ちます。なにより、こうしたリスクを把握してマネジメントできていることが示せれば、「この人がいると安心だ」と思ってもらえるんですね。

実際、**「万が一」と思っていることも、かなりの確率で起きている**と思います。

たとえば、なんの前ぶれもなく工事現場のクレーン車や足場が倒れて、下を歩いていた人を直撃してしまう事故。運が悪すぎるとしか思えませんが、「またか！」と思うほど頻繁に起きているのです。

ビジネスの世界でも想定外のことはよく起こります。

何事も、万が一の可能性は高いと思って準備するに越したことはないのです。

覚えておきたい
モノの言い方

- いざという場合には
- 不測の事態には
- 最悪のケースとしては

相手から
反対されそうなら……

起こりうる
パターンは

「3つのパターン」で伝えやすくなる

なにかを提案したとき、反対されたり断られたりすると、すぐ弱気になったり、逃げ腰になる人がいます。

自分の考えを反対されてすぐにあきらめる人は、あらかじめそういった反対意見や最悪の事態を想定していなかった人でしょう。

そこで、自分がやりたいことを人に伝える際は、反対されたり断られたりしても説得できるように、あらかじめ〈3つのパターン〉を想定しておくことです。

3というのは人が理解しやすい数字で、「起こりうるパターンとしては〜」と3つの可能性を整理して説明すると、相手を納得させやすいのです。

例として、ドラマ化もされて話題になった『全裸監督　村西とおる伝』（太田出版）の著者、AV監督の村西とおるさんのエピソードがあります。

＋αの語彙力
【臍《ほぞ》を噛《か》む】
どうにもならないことを悔やむこと。
「あとで臍を噛むことにならないように準備しよう」

村西さんはもともと英会話教材の営業マンをしていました。そのとき、彼は先輩から「お客をしっかりと見極めるように」と念押しされます。お客様は3つのタイプに分かれるから、それぞれどう攻めればいいかアドバイスを受けるのです。

リスクが想定できていることをアピール

数学でいう「場合分け」のように、ビジネスでもパターンを想定して、それぞれに合わせた戦略を立てることは重要です。

「A」「B」「それ以外のC」というように、簡単でいいので最低3つのパターンを相手に伝えておくと、その後の対処もスムーズに進みます。たとえば、

「この事業の結果の起こりうるパターンとしては、3つ想定できます。もっともうまくいくのがAパターン、失敗したときのBパターン、それ以

+αの語彙力

【悄然《しょうぜん》】

元気がなく、寂しそうな様子。

「コンペに敗北して悄然とうなだれていた」

外のCパターンです。もしBパターンで失敗した場合、おそらく損失はこのくらいになると思います」

と最初から伝えれば、「ちゃんと考えているな」と納得されやすくなります。

仕事ができる人は、成功パターンはもちろん、起こりうるリスクも想定して、事が起きてもスピーディに最善策に向けた行動をとります。

反対に仕事ができない人は、想定外のことが起きると慌てて「上司に確認します」と指示待ち状態になり、周りに迷惑をかけてしまうのです。

ですから、どんなことが起きても、「これは想定内です」と堂々と対処すること。

そして、やりたいことを簡単にあきらめないようにしたいものです。

覚えておきたい
モノの言い方

～と想定すると
結果のレンジは
許容範囲として

第1章のまとめ

- これまでのやり方を改善したいときは……
  「アップデートすると」
- 思い切ったことを提案したいときは……
  「暫定的な措置として」
- 意見が対立してしまったときは……
  「折衷案として」
- 「なんだか不便な状況」を変えたいときは……
  「システム思考的には」
- 失敗してクヨクヨしているときは……
  「ポジティブに考えると」
- 新しいことに挑戦するときは……
  「万が一の場合に備えて」
- 相手から反対されそうなら……
  「起こりうるパターンは」

第 2 章

抽象と具象のバランスをとる

気がかりなことを
伝えたいときは……

懸念《けねん》材料
としては

自分の「違和感」を無視しない

それほど大きな問題ではなくても、ちょっと気になることを伝えたいとき、私は「**懸念材料としては～**」と言って説明を始めます。

これは、学生や若い人にはなかなか使いこなせない、大人の語彙力を感じさせる言葉遣いです。

「懸念」というのは、どうしても頭から離れない気がかりや、自分のなかの〝違和感センサー〟が作動して「なにかおかしい」と引っかかっていることです。

違和感というものは非常に重要です。周りの人がみんなうまくいくと思っていることでも、自分だけ違和感があるときは隠さずに伝えたほうがいいのです。

そのときはまず、違和感の正体を、「なぜこれが気になるんだろう？」と思うことから薄皮を一枚ずつ剥《む》くように見極めます。その上で、「来月予定しているイベント

＋αの語彙力

【後顧《こうこ》の憂《うれ》い】
あとに残る心配。
「優秀な後輩に任せたので後顧の憂いはない」

会場の、ここが危機管理的に心配」というふうに具体的に気になることを伝えてください。すると周りは、「そこには気がつかなかった！ 指摘してくれてありがとう！」となります。意見や価値観が同調しやすい集団ほど、違和感センサーが敏感な人がいると心強いものです。

石橋を叩く人になる

「懸念としては～」と同じような言葉に、「**ネックとしては～**」というのもあります。

「懸念」は漠然としたはっきりしない違和感も含みますが、「ネック」というのはすでに明らかになっているマイナス要因のことです。

たとえば新商品について説明する場合、次のような使い方をします。

「**品質的には競合他社に絶対に負けない自信がありますが、海外から輸入**

＋αの語彙力

【是非《ぜひ》に及《およ》ばず】
仕方がない、やむを得ない。
「今回の結果は是非に及ばず。次回はがんばろう」

している原材料の安定的な調達を確約できていない点が最大のネックです」

経営者であれば、そうした細かい心配事にはとらわれずに、強気で新規事業を進めて必要があれば軌道修正する、といった勇気と行動力も必要かもしれません。

しかし、石橋を叩く人がだれもいなくて、スタッフ全員が同じようにイケイケドンドンで走っていると、あとで大変な目に遭《あ》ってしまうこともあります。

「ちょっとおかしいな」「なんか引っかかる」と思うことは、第六感みたいなものも含めて、なにかしらそう感じてしまう原因があるはずです。

その些《さ》細《さい》な引っかかりを見逃さず、必要があれば口に出して伝えるためにも、「懸念としては」「ネックとしては」の言い回しは覚えておきたいところです。

覚えておきたい
モノの言い方

少し引っかかるのは

危惧されるのは

心配な点としては

トラブルの原因が
わからないときは……

この問題の
本質は

フッサールが教える物事の本質

本質を素早くつかむことができるのは、頭がいい人の特徴です。**抽象と具象を行き来できる思考習慣があると、漠然とした状況ですぐに本質をつかんで、具体案まで出せる**のです。

これは優れた医師を例に考えてみると、わかりやすいかもしれません。

医師の仕事は、患者の具合の悪さの原因を見極めることです。症状を聞き、胃が悪いのか、肝臓が悪いのか、それとも高血圧や糖尿病によるものなのか見当をつけ、必要があれば検査もして、なんの病気か診断します。その上で、どういう治療が必要なのか具体的に伝えるところまでが仕事なんですね。

このケースはほかのことにも置き換えられます。バラバラな現象から「これが本質」というものを見極める力。この力を哲学者のエドモント・フッサールが提唱した現象

＋αの語彙力

【水火《すいか》も辞《じ》せず】
どんな苦痛や困難もいとわない。
「この仕事だけは、水火も辞せずやり遂げる覚悟だ」

学では「**本質直観**」と言います。

たとえば、「テーブルは脚が4本である必要があるのか?」という問いを立て、いろいろなタイプのテーブルを想像する(想像変更)。そして、「**テーブルの本質は物を載せることだから、必ずしも脚が4本である必要はない**」という本質をつかむのです。

学力低下の本当の原因は?

フッサールのように、常識を疑うと本質が見えることがあります。

以前、日本の大学生の学力低下が問題視されていることを、「少子化と進学率上昇が原因で起きる錯覚だ」と指摘した人がいました。『学力低下は錯覚である』(森北出版)を著した神永正博さんです。

+αの語彙力
【謦咳《けいがい》に接《せっ》する】
尊敬する人に会うこと。直接話を聞くこと。
「先生の謦咳に接することができてたいへん光栄です」

彼は、確率論などから計算し、いまの大学生の偏差値50は、15年前の大学生の偏差値42に相当することを明らかにしました。子どもたちの学力が低下したように見えるのは、単に子どもの数が減ったことが本質的な原因であると看破《かんぱ》したのです。

まずは自分が、「これが本質かも？」と直観した問いを手がかりにして、根拠を問い直し、正しい本質を明らかにする。それが「本質直観」なのです。

ビジネスで問題が起きたとき、場当り的に対処するだけで「なぜそうなってしまったのか」という本質を見極めようとしない人もいます。

まずは形から入るつもりでもいいので、「**この問題の本質は〜**」という言葉を使って物事を考えたり、人と話したりするようにしてみてください。

覚えておきたい
モノの言い方

手段と目的に分けると

元凶としては

問題の根幹は

「なにが言いたいのかわからない」
と言われがちなら……

具体的には

「キーワード」がある話はわかりやすい

話がわかりにくい人の特徴に、抽象的なことや全体的なことを漠然と話すだけで、具体性に欠けるという点があります。

「具体性がない話」というのは、インターネットの世界で言うと「検索ができない」ようなものです。

たとえば私のところに送られてくるメールでも、件名に「書籍の件」とだけ書かれていたら、どの出版社のどの本の件なのかわかりません。また、あとから書名で検索できないので、探すのに手間もかかります。

一方、件名に【出版社名、氏名、書名つきの用件】が書かれているメールであれば、あとで捜す必要があるとき、すぐにキーワード検索することができるんですね。

これができるかできないかで、相手の印象を大きく変えられるのです。

＋αの語彙力

【縷縷《るる》】
細かく話すこと。
「縷縷ご説明してきましたが～」

面接の印象もアップ！

話し方も同じです。たとえば上司に話しかけるとき、「ちょっとお時間いいでしょうか？」と声をかけても、上司としてはなんの話かサッパリわからないので、ヘンに身構えたりしてしまいます。

そうならないためには、「**〜の件の結果についてお伝えしたいので、ちょっとお時間いいでしょうか**」などと、具体的な用件を先に伝えることです。

また、とくに伝えたいことを強調したい場合は、ほかと区別することで話のポイントを際立たせるのも効果的です。

「**いま準備している新商品の特徴はいろいろありますが、具体的な点を1つ言うと、一般の商品にない○○が一番のポイントです**」

というように、ほかと差異化するとわかりやすくなるのです。

＋αの語彙力

【一家言《いっかげん》】
独自の意見、ひとかどの見識のこと。
「この分野に関しては私も一家言あります」

就職活動の面接でも「私はリーダーシップがあります」とだけ言われても、どういう意味でリーダーシップがあると自負しているのか伝わりません。そこで具体的な体験談を交えて、**「具体的にはこのような大規模なイベントで、リーダーとしてみんなを動かし……」**と説明できると、「そういうことか」と納得してもらえるでしょう。

頭がいい人は、相手をイライラさせないように思考や時間の無駄を最小限に減らして、早く、わかりやすく話すのが上手です。

そうなるためには、**具体例を入れながら話す訓練**が必要なのです。「具体的には」という言葉を習慣化して、具体的に話すようにすることを心がけてみてください。

覚えておきたい
モノの言い方

例を挙げると

参考事例としては

ケーススタディは

商品・サービスの
質を高めたいときは……

付加価値を
つけるとすれば

現状維持では価値が落ちていく

いまは大量生産・大量消費の時代ではないので、同じビジネスを続けているだけだと取り残されてしまいます。現状維持や前例主義に縛られている人は、変化の激しい時代で古びていく可能性が高いでしょう。

自分の仕事がそうならないためには、**「このままでいいのかな？」とつねに現状を見直し、質を高める努力をしなければなりません。**

その際に役立つのが、「付加価値をつけるとすれば～」「プラスアルファとしては～」という言葉です。

仮に、最初の仕事がうまくいったとしても、同じことを２度続けてやると、だんだん質が落ちていくものです。ですから、

「１回目のキャンペーンでは、イベント無料券が当たるサービスを提案し

＋αの語彙力
【時宜《じぎ》を得《え》る】
ちょうどいい時期をとらえること。
「このサービスは時宜を得て、人気を博した」

ました。2回目のキャンペーンで付加価値をつけるとすれば、無料券にドリンク付きのサービスが考えられます」

というように、プラスアルファの発想で考える必要があるのです。

有名人のファンクラブでも、毎年同じグッズしか販売されず特典も同じだと、いくらファンでも飽きてくるでしょう。でも、「今年からファンクラブのみなさんには、毎日、本人から熱いメールが届きます」という付加価値がつくと、今年もファンクラブの会員を更新しようと思うはずです。

私の教え子にも、好きなタレントのファンクラブに入って、本人からメールがくるのを楽しみにしている学生がいるので間違いありません。

続編にはプラスアルファが必要

+αの語彙力

【勿怪《もっけ》の幸《さいわ》い】

予想外の幸せ、意外な幸運。

「作業が遅れたのが勿怪の幸いとなりました」

付加価値をつけてお客様の心を引き留めるサービスは、世の中にあふれています。

私の『1日1ページで身につく！　小学生なら知っておきたい教養366』（小学館）という本も、第一弾が売れたので「第二弾もつくりましょう」と編集者から相談がありました。でも、「普通に続編を出しても第一弾よりは売れないよね」という話になったのです。そこで、続編にはキラキラシールの付録《ふろく》をつけることにしました。

そのようなお得感があると、喜んでくれる子どもがいるのです。

同じテーマで進めている仕事の場合はとくに、「**プラスアルファで『新たな価値』を加えるとしたらどんなことができるだろう？**」という視点を持つと、話し方も変わってくるでしょう。

覚えておきたい
モノの言い方

パワーアップさせると

上位互換して

バリューを出すには

上司に報告
するときは……

進捗《しんちょく》状況を
お伝えしますと

「大丈夫です」は大丈夫じゃない

仕事ができる人は、相手の立場になって考えることができる人です。そのために「いま、ここまで進んでいます」と必要に応じて進捗状況を報告するのです。

反対に、周りを不安にさせるのは、上司や取り引き先から「あの件、どうなってる？」と質問されて、「大丈夫です」「なんとかします」といったあいまいな返事をするタイプ。報告、連絡、相談の「ホウ・レン・ソウ」ができない人です。

なにかにつけ「大丈夫」と言う人は、だいたい、「大丈夫じゃない」ことが多いものです。

私が勤めている大学でも、卒論を指導している先生は、学生から「大丈夫です」と言われるのが一番不安を感じると言っていました。

こういう学生に限って、締切間近に問題を抱えて泣きついてくるからです。

＋αの語彙力

【木《き》で鼻《はな》をくくる】
相手を冷たく扱うこと。
「あの担当者は木で鼻をくくる人だから～」

進捗報告は相手を安心させるため

社会人なら「進捗状況を申し上げますと～」という言葉を普段から使って、取引先や上司に仕事の進み具合を報告して、安心させることが大切です。たとえば、

「**先日いただいた企画の進捗状況を申し上げますと、部内会議は通りましたが、営業会議で再検討するように言われました。指摘されたのはこの点とこの点です**」

というように、なにがどこまで進んでいるのか説明すればいいのです。その上で、

「**次の営業会議は○月○日なので、そこで正式決定できるように調整を進めています**」

と、先の見通しまで伝えればなおいいでしょう。

どんな仕事も、人と人との信頼関係で成り立っています。たとえば待ち合わせに遅

＋αの語彙力

【畢竟《ひっきょう》】
結局、つまるところ。
「畢竟、仕事の本質というのは～」

刻しそうなとき。メールでもSNSでもいいので前もって連絡を入れれば、相手も「仕方ない」と思いながら安心して待てます。もし遅刻が20分以上になりそうなら、**「電車が止まってしまい、20分ほど遅れそうです。申し訳ありませんが、近くのカフェで待っていただけますか。飲み物代はあとで自分が払います」**と連絡すれば、相手も納得するでしょう（「飲み物代は自分が払う」というところがポイントです）。

とくにいまはスマホがあるので、なんの連絡もなしに遅れてくる人は、「お詫びのメール１つ送れない人なのか」と信頼を失います。相手を心配や不安にさせないためにも、「ホウ・レン・ソウ」はこまめにするようにしましょう。

覚えておきたいモノの言い方

現状をまとめると

取り急ぎのご連絡ですが

経緯としては

普段の作業を
効率化したいときは……

フォーマット化
すると

「形式化」で仕事はスピードアップする

仕事の効率化を図る書式をつくったり、だれでもスムーズに作業に取り組めるように業務プロセスを形式化することを「フォーマット化する」と言います。

コンピューター用語として使われている、パソコンやＵＳＢを初期化するときの「フォーマット（初期化）」とは意味が異なります。

ここでいう「フォーマット化」とは、**ひな形を決めて定型化する**という意味です。

この思考様式はとても重要で、私もよく仕事で活用しています。

『声に出して読みたい日本語』（草思社）という本を出したときも、私は右側のページに名文を大きく入れて、左側に解説を入れるというように、レイアウトをフォーマット化した見本を出版社に提案しました。

読みやすい本にするためには、文字の大きさ、見出しや文章の位置など、細かい要

＋αの語彙力

【オブザーバー】
立会人、傍聴人。
「今日の会議ではオブザーバーとして参加します」

素を整理する必要があります。それだけに最初のフォーマット化は時間がかかります。でも一度つくってしまえば、あとは決まった型にさまざまな要素を当てはめていけばいいので手間がかかりません。

本が売れて続編を出すことになっても、基本的にはそのまま同じフォーマットを使えばいいので、ほかの人が作業することになっても引き継ぎの手間がかかりません。フォーマット化すると、とても効率的で便利なのです。

ビジネスを「プラットフォーム化」できるか

フォーマットと似た言葉に「**プラットフォーム**」があります。これは「土台」「基盤」「場」という意味で、関連する複数のグループを同じプラットフォーム（場）に乗せることで、新しい事業のエコシステム（生態系）を作り出す経営戦略です。

+αの語彙力
【コンサバティブ】
保守的な、流行に左右されない。
「今回はコンサバティブなデザインにしました」

アマゾン、楽天などのＥＣサイトは「プラットフォーム戦略」の典型的な成功例で、いまはそのようなビジネスモデルで勝負する企業が増えています。

企業内部でも、プラットフォームを活用することで、多岐に渡る業務を一元化して効率的に運用することができます。同じような発想で業務の効率化を図りたい場合は、「**このウェブサイトをプラットフォーム化すると～**」といった使い方で説明するとわかりやすいでしょう。

「フォーマット」も「プラットフォーム」も、活用することで思考の流れも明らかになりますから、普段から仕事の場面で意識してみてください。

覚えておきたい
モノの言い方
ひな形をつくると
仕組み化すると
モデルにすると

無駄な作業を
減らしたいときは……

必要十分な
ものは

そのように、仕事の内容をわかりやすく指示できる上司は信頼されます。部下の仕事を修正したり、やり直させる手間もなくなるので、自分の仕事の無駄も減るのです。

必要十分な内容の説明が難しい場合は、最初にサンプルを示す方法も有効です。

私の場合、大学生にプリントをつくらせることが多いので、先に「悪いサンプル」と「良いサンプル」の見本をそれぞれ見せるようにしています。そうすると、口で説明するよりも一目瞭然《りょうぜん》でわかりやすいからです。

もちろん、仕事を受ける立場の人も、あとで過不足を指摘されて「こんなはずじゃなかった！　すべてやり直しだ」という最悪の事態を避けるために、途中でサンプルを示して確認をとるとリスクヘッジできます。

覚えておきたい
モノの言い方

必要最低限な条件は

押さえておくべき点は

必須要素は

仕事がついつい
遅れがちなときは……

デッドラインは

をなくした」といった理由で卒論が締切に遅れても、一切認めらないから注意するよう、繰り返し言い聞かせるようにしています。

仕事が遅くて締切を守れる自信がない人は、

「デッドラインは○月○日だから、３日前に仕上げよう」

と、自主的に締切日を前倒しするといいでしょう。**２段階スケジュールで、早め早めに作業を進める習慣を身につける**のです。

ちなみに私は、手帳に赤でデッドラインを書いて、その3日前に「ここまでには終わらせる」と思う「マイ締切」を鉛筆で書き込んでいます。そうすると3日間のバッファ（余裕）があるので、精神的なゆとりもできるのです。

覚えておきたい
モノの言い方

最終期限は

タイムリミットは

ボーダーラインは

企画書を

提案するときは……

これは
叩き台ですが

アイデアを
端的に伝えるときは……

コンセプトは

この仕事の「必要十分な条件」はなにか？

仮に私が、ＡさんとＢさんの２人に同じ資料作成をお願いしたとしましょう。関連すると思われる資料を片っ端から集めて分厚い資料をつくるＡさんと、必要なものだけ取捨選択してわかりやすい資料をつくってくるＢさんとでは、Ｂさんのほうが使う相手のことを考えられる賢い人だとわかります。

Ａさんはなにを集めればいいかわからず無駄なことをしています。そしてあとで、「ここまで細かい資料はいらないから」と相手に指摘されてから気づくタイプです。

なお、必要な資料が足りないＣさんもいます。これもいけませんね。

仕事に慣れていない若い世代や、なんでも自己流で考える人は、余計なことをやり過ぎたり、必要なものが足りなかったり、どちらかに偏《かたよ》りがちなのです。

社会経験が長い人でも、無駄な作業をして効率が悪くなることはあるでしょう。

＋αの語彙力

【横紙破《よこがみやぶ》り】
無理を通すこと、理不尽なこと。
「ときには横紙破りをすることも必要だ」

そういう場合は、取り組む前に必ず「**この仕事の必要十分な条件はなんだろう？**」と考える癖をつけることです。

「必要十分」というのは、ある一定の条件を満たす要素が過不足なくある状態で、目的を果たす上で必要な分は十分間に合っていることを意味します。数学でも「必要十分条件」と言うのと同じです。

「必要にして十分」なことを意識して仕事を進めると、自分だけでなくその案件に関わる人の無駄なエネルギーを最小限まで減らすことができるのです。

説明が難しいときは「サンプル」を示す

部下などに仕事を頼むときも「**ここまで必要**」「**これで十分だから**」と前もって伝えてあげると、相手が迷ったり無駄な労力をかけたりせずに済みます。

+αの語彙力

【煩瑣《はんさ》な】
わずらわしい、細々としていること。
「煩瑣な手続きが多い」

そのように、仕事の内容をわかりやすく指示できる上司は信頼されます。部下の仕事を修正したり、やり直させる手間もなくなるので、自分の仕事の無駄も減るのです。

必要十分な内容の説明が難しい場合は、最初にサンプルを示す方法も有効です。

私の場合、大学生にプリントをつくらせることが多いので、先に「悪いサンプル」と「良いサンプル」の見本をそれぞれ見せるようにしています。そうすると、口で説明するよりも一目瞭然《りょうぜん》でわかりやすいからです。

もちろん、仕事を受ける立場の人も、あとで過不足を指摘されて「こんなはずじゃなかった！　すべてやり直しだ」という最悪の事態を避けるために、途中でサンプルを示して確認をとるとリスクヘッジできます。

覚えておきたい
モノの言い方
必要最低限な条件は
押さえておくべき点は
必須要素は

仕事がついつい
遅れがちなときは……

デッドラインは

「締切は必ず守ります」と宣言する

約束を守らない人間が信用を失うのは、どの世界にも共通することです。とくにビジネスの世界はすべてがスケジュールありきで進むので、締切を守れない人は周りに迷惑をかけて、「社会人失格」というレッテルを貼られてしまいます。

ところが、世の中には「ちょっと遅れても大丈夫だろう」「締切に間に合わなくてもやることをやれば許されるだろう」という甘い考えを持つ人が少なくありません。

ですから、いつも仕事が遅れてしまう人は、

「**この案件は、〇月〇日までに納品いたします**」

と、自分から宣言して、絶対に期限を守る努力をしましょう。

大学でも、卒論の締切を守れない学生が必ずいたので、どう対処するか苦労したことがあります。

＋αの語彙力

【食指《しょくし》が動《うご》く】
やってみたいという気持ちが起こること。
「どうも今回の仕事は食指が動かない」

たとえば、卒論の受付締切である「○月○日の17時まで」を、5分とか10分遅れてしまった学生がいた場合、受け付けるか断るか？　仮にこうした学生の卒論を受けつけた場合、30分、60分遅れて提出した学生にはどう対処すればいいのか？

こういった問題について、教員が会議で検討し、結局、1分でも締切を過ぎた場合は一切受付をしないという結論に至りました。**締切は一度延ばしてしまうと、いつまでも延び続けてキリがないからです。**

「デッドラインの3日前」を締切にする

締切というのは「デッドライン」です。死ぬ気で守るべきデッドラインを過ぎれば、何分遅れても同じですから、例外を認めると不公平になってしまいますよね。

だから、私は学生たちに「プリンターが壊れた」「データが消えた」「USBメモリ

＋αの語彙力
【衒学的《げんがくてき》】
学説をひけらかす様子。
「あの人の話し方はちょっと衒学的だ」

をなくした」といった理由で卒論が締切に遅れても、一切認めらないから注意するよう、繰り返し言い聞かせるようにしています。

仕事が遅くて締切を守れる自信がない人は、

「デッドラインは○月○日だから、3日前に仕上げよう」

と、自主的に締切日を前倒しするといいでしょう。**2段階スケジュールで、早め早めに作業を進める習慣を身につける**のです。

ちなみに私は、手帳に赤でデッドラインを書いて、その3日前に「ここまでには終わらせる」と思う「マイ締切」を鉛筆で書き込んでいます。そうすると3日間のバッファ（余裕）があるので、精神的なゆとりもできるのです。

覚えておきたい
モノの言い方

最終期限は

タイムリミットは

ボーダーラインは

企画書を
提案するときは……

これは
叩き台ですが

「叩き台」でお互い気楽に意見を言い合う

会議の場や上司に企画書を提出するとき、最初から完成形を目指すと肩に力が入りすぎて作業が進まないことがあります。

受け取る相手も、「このアイデアは完成形です」という姿勢で差し出されると、内容に問題があってもアドバイスやダメ出しをしにくくなりますよね。

1人で仕事しているならともかく、さまざまな人間関係のなかで円滑に仕事を進めるためには、お互い意見を言いやすい状況をつくる配慮が必要です。

1つの方法として、最初は原案のつもりで企画を考えて、「**これは叩き台ですので……**」とひと言添えて提出すると、相手も意見を言いやすくなります。

「叩き台」は、とっても便利な言葉です。この言葉には、「**まだ最終形ではないのでそのつもりで見てください**」

＋αの語彙力

【峻別《しゅんべつ》する】
厳密に分けること。
「仕事の時間とプライベートの時間を峻別する」

「**まだ途中段階のものですから、どうぞ叩いてください（意見を言ってください）**」

と謙遜《けんそん》する意味も含まれます。そのため、自分では精いっぱい考えたつもりでも自信がないときに使えます。また、叩き台をベースにして詳細を煮詰めたり、ほかのアイデアと比較検討して、さらに磨きをかけることができます。

もちろん、叩かれるのを覚悟で出すアイデアですから大ざっぱな場合もあります。

しかし、なにもないのと叩き台があるのとでは、議論の進み具合が変わります。材料がなにもない状態だとゼロから話し合わなければならないからです。

相手によっては「一発勝負」の提案もアリ

ただ、このような謙虚な言い方は日本人には好まれますが、すぐに白黒はっきりつ

+αの語彙力

【狷介《けんかい》】

頑固に自分の意思を守って折り合わないこと。

「狷介にならないように自分を客観視する」

けたがる外国人に対しては安易に使わないほうがいいかもしれません。

たとえば、アップル創業者のスティーブ・ジョブズは非常にせっかちで、すぐに結論を求めた人として知られています。

彼の哲学について書かれた『Think Simple』（ケン・シーガル／NHK出版）によると、ある新製品のパッケージのアイデアを2パターン提案しただけでスティーブは苛《いら》立《だ》ったと言います。1つの製品に理想は1つなのに、2つも考えるのは無能な人間がやることだというのが彼の考え方なのです。

もし企画を出す相手がそのようなタイプだったら一発勝負をおすすめします。ただ、一般の日本人であれば「叩き台」を出すほうがベターだと私は思います。

覚えておきたい
モノの言い方

荒削りですが
草案の段階ですが
大まかではありますが

第2章のまとめ

- 気がかりなことを伝えたいときは……
  「懸念材料としては」
- トラブルの原因がわからないときは……
  「この問題の本質は」
- 「なにが言いたいのかわからない」と言われがちなら……
  「具体的には」
- 商品・サービスの質を高めたいときは……
  「付加価値をつけるとすれば」
- 上司に報告するときは……
  「進捗状況をお伝えしますと」
- 普段の作業を効率化したいときは……
  「フォーマット化すると」
- 無駄な作業を減らしたいときは……
  「必要十分なものは」
- 仕事がついつい遅れがちなときは……
  「デッドラインは」
- 企画書を提案するときは……
  「これは叩き台ですが」

第3章

さまざまな「視点」でモノを見る

アイデアを
端的に伝えるときは……

コンセプトは

アイデアの前に「コンセプト」を明確に

どんな企画も「コンセプト」が決まらなければ始まりません。

英語の「concept」を直訳すると「概念」ですが、ビジネスの場面でコンセプトという言葉は、「全体を貫《つらぬ》く包括的な概念や基本的な観点」という意味で使われています。

コンセプトを念頭に置いて仕事を進めなければ、なにが狙いなのかわからなくなり、中途半端な結果で終わる可能性があります。

新しいことを始めるときは、なぜそれをやるのか、なんのためにやるのかを考えて、「**この企画のコンセプトは～**」と一言で表現したほうが、伝わりやすくなります。

コンセプトは、さまざまなアイデアを出す上で軸になる考えです。

アイデアがいつも凡庸《ぼんよう》になりがちな人は、軸となるコンセプトに納得感があるか、

＋αの語彙力

【アライアンス】
協力、同盟、企業提携。
「Ａ社とＢ社がアライアンスを結ぶらしい」

イメージが湧きやすいか、具体的に考え直したほうがいいかもしれません。

説明しなくても理解できる言葉を

有名な広告クリエイターの杉山恒太郎さんがつくった、「小学一年生」という雑誌のCMの「ピッカピカの一年生」というコピーは、「春の入学が待ち遠しい新一年生」というコンセプトから生まれたアイデアです。

杉山さんの著書『ピッカピカの一年生を作った男』（小学館）にも書いてありますが、早く小学生になりたい笑顔いっぱいの新一年生というイメージを膨らませて、リズミカルな言葉で表現したのが「ピッカピカの一年生」だったのです。

コンセプトは、その仕事に関係する人たちが理解できなければ意味がありません。

「春の入学が待ち遠しい新一年生」というコンセプトが決まっていれば、なぜ「ピッ

+αの語彙力

【リリカル】
抒情的、感情に訴えかける。
「とてもリリカルなドキュメンタリー番組」

カピカの一年生」なのかいちいち説明しなくても、だれもが理解できるのです。

NHKのEテレで放送されている「にほんごであそぼ」という番組は、私の書籍『声に出して読みたい日本語』を「幼児番組化しましょう」という番組プロデューサーのアイデアから、17年前にスタートしました。

「小さい子どもにも日本語のすばらしい言葉を宝物のように身につけてほしい」というのが番組のコンセプトです。

そのコンセプトに従って、歌舞伎《かぶき》、狂言、落語といった古典を子どもたちに楽しんでもらうアイデアをつねに考えてきました。コンセプトが明確でブレなければ、時代が変わり、スタッフが替わっても混乱することなく仕事が長続きするのです。

覚えておきたい
モノの言い方

企画の趣旨は
狙いとしては
テーマは

考えが
行き詰まったときは……

一度、
更地《さらち》に
してみると

古い建物を壊すイメージで考えを白紙に

自分が考えたアイデアがいまいちピンとこなくても、いったん考え始めたことに引きずられて頭を切り替えられない、ということがあります。

それはたとえば、建物が古くなりすぎてもう住めない状態なのに、利便性が良くて環境も素晴らしい場所だから離れたくない、という感じに似ています。

そういう場合、私は「**今回の件を一度、更地にしてみますと〜**」という言い方をします。まっさらなところに立ち戻って、また新たに考えてみるのです。

似た言葉に「ゼロベースで考えてみますと〜」もあります。こちらは、「**いままでいろいろな意見が出てきましたが、結論に至らなかったので、一度原点に立ち返りましょう**」というニュアンスの言葉です。

＋αの語彙力

【陥穽《かんせい》】
落とし穴、だます計画。
「人生の陥穽にはまらないよう注意するように」

「いろいろな経緯や諸事情もあるかと思いますが、ここはいったんゼロベースで考えたほうが良さそうです」

と言えば、相手をリスペクトしつつ、マイナス意見をストレートに伝えられます。言われたほうも、なんとなく「まあいいか」と受け入れやすいものです。

話がまとまらないときのゼロベース思考法

もう1つ「白紙に戻す」という言い方もありますが、これは全否定されたように感じてしまいます。「この縁談はいったん白紙に戻します」「この計画は白紙に戻しましょう」といったケースで使う言葉で、ネガティブな意味合いが強いのです。

マイナスの意見は、慎重に伝えなければいけません。その意味で「白紙」ではなく「ゼロベース」というカタカナ語を使ったほうが、日本語よりも直接的なニュアンス

＋αの語彙力

【愁眉《しゅうび》を開《ひら》く】
悲しみや心配がなくなって安心すること。
「あのトラブルが解決してようやく愁眉が開けた」

が和らいで、相手を傷つける可能性が低くなります。

思考法でも、自分の知識や経験や思い込みをいったんゼロにする「**ゼロベース思考法**」があります。この考え方が身につくと、斬新な発想が浮かびやすくなります。

文脈は異なりますが、『記憶喪失になったぼくが見た世界』（朝日新聞出版社）という本を出した坪倉優介さんという方がいます。

彼は、18歳で交通事故に遭って記憶を失い、意識が戻ったあとも見るもの感じるもののすべてが初体験で、まったく新しい自分として生きています。世界がすべてリセットされると、本当にゼロの状態から思考することが彼の本を読むとよくわかるので、一読するとおもしろいと思います。

覚えておきたい
モノの言い方

初心に立ち返ると

前提を捨てると

いったん忘れて

議論で新しい意見を
出すときは……

視点を変えると

「切り替え感」を出す言葉を上手に使う

話し合いのなかで疑問点や反対意見があるときは、相手の機嫌を損ねることなく上手に伝えるのがポイントです。

遠慮して言いたいことを飲み込むと、納得できない中途半端な結論で終わってしまい、引っかかりが残ってしまうからです。

逆に、「反論になりますが〜」「お言葉ですが〜」といって真っ向から反対すると、相手を嫌な気分にさせるだけでなく、関係性も悪くなってしまいがちですよね。

じつは私も、昔は遠慮なく言いたいことを言うほうでした。

大学院生のころも、先生に対してはっきりとモノを言い過ぎて、人間関係を悪くしてしまったことがあります。

その経験から痛感したことは、**相手の意見を否定したり反論したりしても、なんの**

＋αの語彙力

【反駁《はんばく》する】
他人の意見に反論すること。
「前回の議論では見事に反駁されてしまった」

メリットもないということです。相手の心情を考えないズケズケしたものの言い方は、私の経験からも、デメリットしかありません。

もっと議論を深めるために自分の意見を出したいなら、「**視点を変えてみると～**」「**こういう見方もありますよね**」というふうに、相手の意見を肯定も否定もせず、ワンクッション置いて「切り替え感」を出すと、角が立ちません。

「議論の整理役」を買って出る

もう1つ、便利な言い回しとして「**これまでの意見を整理しますと～**」という方法も役立ちます。

会議の場で多数派はA意見、少数派はB意見とした場合、

「いまはAという意見が多数派で、それに対してBという意見も出ていますよね。私

+αの語彙力
【轡《くつわ》を並《なら》べる】
同じ目的を持った人が集まること。
「各部門の選抜者が轡を並べたプロジェクト」

はそれを踏まえてCという意見を出したいのですが」

といった言い方ができると、議論をもっと深められるのです。

私も月に数回は大学で定例会議をしていますが、突発的な意見を言われると、「どこからそんな新しい意見が出てきたの?」とびっくりしてしまいます。しかし、

「先日のAの意見とBの意見は予算的な条件が合わなかったので、みなさんの希望をふまえた実行可能なC案をお持ちしました」

と言われたら、「ほう、この人はできるな」と思うものです。

本筋から外れた少し突飛《とっぴ》な意見は、相手の気分を害することなく伝えること。そして、言いたいことを伝えながら気持ち良く納得してもらうことが大事なのです。

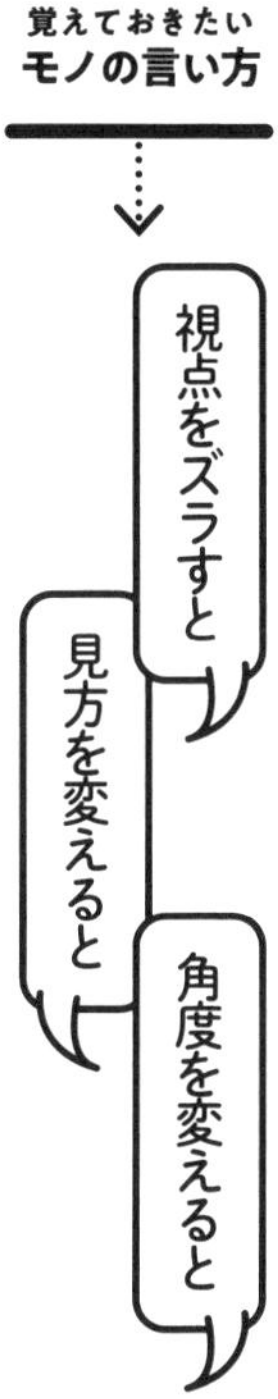
覚えておきたい
モノの言い方
視点をズラすと
見方を変えると
角度を変えると

アイデアがなにも
思い浮かばないときは……

組み合わせて
みると

アイデアは「新しい組み合わせ」のこと

アイデアとは、つまるところ既存の要素の新しい組み合わせでしかない――。

その本質を突いた概念を提唱したジェームス・W・ヤングの名著『アイデアのつくり方』（ＣＣＣメディアハウス）は、80年前に刊行された本にもかかわらず、いまも世界中で読み継がれています。

なにか新しいアイデアを生み出したいときは、いままでになかったアイデアをゼロから生み出そうとするのではなく、「なにか」と「なにか」を結びつけて考えたほうが、ひらめきの種を見つけやすいのです。

そうした思考方法を身につけるときに便利なのが「**ＡとＢを組み合わせて考えてみると～**」という言い方です。

１つの物事だけで考えず、複数の視点、複数の組み合わせで可能性を広げて考えた

＋αの語彙力

【在野《ざいや》】
官職ではなく民間にいること。
「在野の学者として研究を続けてきた」

いときに使える言葉です。

これは言ってみれば、インドカレーの香辛料のようなものです。

インド人は朝昼晩、毎日カレーを食べているわけですが、全然飽きないそうです。なぜなら、香辛料の組み合わせが無限大にあるから。組み合わせを変えるだけで違う味を楽しめるからです。言われてみればその通りで、カレーと一口に言ってもいろいろな食べ方があります。

組み合わせを変えたり、バランスを変えたりすると、それは違うものになるのです。

複数のことを関連づけて話してみる

音楽の世界では、複数人のアイドルで結成されたグループやユニットで活動するケースが増えています。これも考え方としては同じで、「このアイドルとこのアイド

+αの語彙力

【耳順《じじゅん》】

60歳のこと。

「私もやっと耳順に達しました」

恐れ入ります
切手を
お貼りください

郵便はがき

162-0816

東京都新宿区白銀町１番１３号

きずな出版 編集部 行

フリガナ

お名前　　男性／女性
未婚／既婚

(〒　　-　　)
ご住所

ご職業

年齢　10代　20代　30代　40代　50代　60代　70代〜

E-mail

※きずな出版からのお知らせをご希望の方は是非ご記入ください。

愛読者カード

ご購読ありがとうございます。今後の出版企画の参考とさせていただきますので、アンケートにご協力をお願いいたします（きずな出版サイトでも受付中です）。

[1] ご購入いただいた本のタイトル

[2] この本をどこでお知りになりましたか？

1. 書店の店頭　　2. 紹介記事（媒体名：　　　　　　　　　　）
3. 広告（新聞／雑誌／インターネット：媒体名　　　　　　　　　　）
4. 友人・知人からの勧め　　5.その他（　　　　　　　　　　）

[3] どちらの書店でお買い求めいただきましたか？

[4] ご購入いただいた動機をお聞かせください。

1. 著者が好きだから　　2. タイトルに惹かれたから
3. 装丁がよかったから　　4. 興味のある内容だから
5. 友人・知人に勧められたから
6. 広告を見て気になったから
（新聞／雑誌／インターネット：媒体名　　　　　　　　　　）

[5] 最近、読んでおもしろかった本をお聞かせください。

[6] 今後、読んでみたい本の著者やテーマがあればお聞かせください。

[7] 本書をお読みになったご意見、ご感想をお聞かせください。
（お寄せいただいたご感想は、新聞広告や紹介記事等で使わせていただく場合がございます）

ご協力ありがとうございました。

きずな出版　URL http://www.kizuna-pub.jp　E-mail 39@kizuna-pub.jp

ルを組み合わせたらどうだろう？」という発想が根本にあるのです。

科学の世界にも、複数の発見、発明を関連づけることで生まれた偉大な理論がたくさんあります。アインシュタインの独創的な公式「$E=mc^2$」も、「エネルギー保存の法則」と「質量保存の法則」を前提として発展させて生まれたものです。

ビジネスでも、「**既存のシステムと新しいシステムを組み合わせれば、もっとも効率的なシステムとして運用できます**」というふうに関連づけるなど、あらゆる場面で「組み合わせ思考」が求められます。

どんな世界も、既存のものを関連づけたり、組み合わせたりすることで、進化してきているのです。

覚えておきたい
モノの言い方
コラボさせると
順番を変えると
ドッキングすると

新しい発想を
取り入れたいときは……

応用すると

「これ、応用できないかな？」という視点

問題集に基本問題と応用問題があるように、仕事での思考にも、基礎知識とそれを応用する思考があります。

学校で学んだ知識だけでなく、社会のなかで身につけた知識や経験も、考え方次第ではかのものに応用できることはたくさんあるはずです。ある成功事例を、まったく同じ業界でやってしまうと「パクリ」になってしまいますが、**別の業界に転用して応用すれば、「いいアイデア」になる**こともあるのです。

カラオケボックスも、もともとはレストランの個室のような「箱＝ボックス」空間に対する社会のニーズがあり、それをカラオケに応用して生まれたものです。

テーブルをひとりひとり仕切って食べるスタイルが人気の、大手ラーメンチェーン店「一蘭《いちらん》」も、やはりボックス化の考えを応用した例と言えるでしょう。

＋αの語彙力

【人後《じんご》に落《お》ちない】
他人に引けを取らない、劣らない。
「字のうまさについては人後に落ちない自信がある」

お笑いネタを「これは使える！」と思えるか？

自分のなかにある知識の財産をもっと幅広く活用したいと思う人は、「**この考え方を応用すると～**」という言葉を使ってみると、思考の幅が広がるはずです。

読者のみなさんに、お笑い芸人のネタを見て、「これは使える！」とすぐ気づく人がいたら、**応用思考**が得意なタイプでしょう。

たとえば、２０１９年のＭ－１グランプリで優勝した漫才コンビ・ミルクボーイさんの「コーンフレーク」のネタは、「コーンフレーク」をほかのものに置き換えても応用できる、非常によくできた話芸です。私の教え子にも、世界史の授業をミルクボーイさんのネタにアレンジして生徒に覚えさせた人がいて、「もう応用しているの？　さすが私の教え子！」と思いました。

林修先生の「いつやるか？　今でしょ！」という決め台詞も、ありとあらゆるシ

＋αの語彙力

【面目《めんぼく》を施《ほどこ》す】

名誉を高める、成果を上げて評価を上げること。

「今回の件で面目を施せましたね」

チュエーションで応用できる言葉ですよね。

ネタは身近なところに転がっています。大切なのは、そのネタを応用する力で、その力がある人が多くの新しい商品やサービスを生み出しているのです。

自分がお客の立場で利用していることも、

「このシステムを応用すると、ほかにどんなことができるだろう？」

「この人気商品の材料を、別の商品に応用することはできないかな？」

などと考えながら見てみると、おもしろいアイデアが浮かんだりします。

応用思考が習慣になると、見るもの聞くもの使うものすべてが興味関心の対象になります。すると毎日が刺激的で楽しく感じられるようになるのです。

覚えておきたい
モノの言い方

転用すると

当てはめてみると

この業界に取り入れると

売れる商品・サービスを
つくりたいときは……

お客様の目線に
立つと

「消費者としての自分」の意見を忘れない

どんなビジネスも、消費者やお客様がいるおかげで成り立っています。

それゆえに社会人に欠かせないのは、自分が商品やサービスをつくる側になっても、消費者や顧客の立場になって物事を考える**「視点移動」**の発想です。

私はセブン＆アイ・ホールディングスの入社式に何度か招いていただきました。そこで鈴木敏文会長（当時）が必ず新入社員にお話ししていたのは、次のような言葉です。

「皆さんはいままでコンビニの消費者でした。そのことを絶対に忘れないでください」

「売る側になると見えなくなるのは、自分もコンビニの顧客だったということ。お客様の目線に立つことを忘れないでほしい」

「**お客様の目線に立つと～**」「**消費者からすれば～**」という考え方は、流通業界のみならず多くのビジネスパーソンが胸に刻むべき言葉です。

＋αの語彙力

【挙措《きょそ》】
立ち居振る舞いのこと。
「あの人は年齢の割に落ち着いた挙措だ」

会社員になった人が、組織の利益を追求するのは当然のことです。

しかし利益だけ考える組織は、お客様の顔が見えなくなります。すると商品やサービスも消費者のニーズと噛み合わなくなり、結果的に不利益を招いてしまうのです。

たとえば、デザインやインテリアに凝ったレストランがオープンしても、入り口がわかりにくかったり、格調が高すぎて入りにくかったりすることはよくあります。

自分が客の立場で見ればすぐ気づくことも、お店をつくる立場のままやりたいことだけ考えているとわからなくなるのです。

自分がお客様だったらなにが必要か？

私が『声に出して読みたい日本語』を出したときも、古文や名文に関心のある読者の多くはご高齢ですから、活字を大きくしてほしいと出版社にお願いしました。

+αの語彙力

【話《はなし》のさわり】

話の山場のこと。

「話のさわりだけ教えてください」

異論もありましたが、老眼の方が小さい文字を読むのは大変ですから、そこは妥協することなく強くお願いして私の意見を通しました。
結果的には大成功だったので、それ以来、60歳以上の読者向けの本をつくるときは活字を大きくしてもらうようにしています。
近所にある伝統ある神社も、工事をして石段の脇にスロープをつくりました。障害者の方のためとともに、参拝客に高齢者が増えてきたことも背景にあるのでしょう。

お客様（利用者）が必要としていることはなにか？

そのことを知りたいなら、自分が当事者になったつもりで、必要なこと、便利だと思うことを、あれこれ想像してみることです。

覚えておきたい
モノの言い方

初めての人だったら

知らない人が見たら

◯年前の自分だったら

思考の幅を
広げたいときは……

切り口を
変えると

「思い込み」が邪魔をする

人の数だけ、考え方や価値観は異なります。社会学者のアルフレッド・シュッツは、私たちが生きている社会は視点によってまるで見え方が変わる「**多次元的な現実**」であることを、『現象学的社会学』（紀伊國屋書店）という理論で提唱しました。

みんなが別々の視点で現実を見ているのが、「多元的」ということです。

「思い込みが激しい」と言われたことがある人は、自分だけの価値観や考え方に執着している可能性があります。研究者や芸術家ならそれでも許されるでしょうが、ビジネスの世界で思考が偏っている人は、周りが見えなくなるデメリットしかありません。

自分は思い込みが激しいという自覚がある人は、「**切り口を変えると～**」という言葉を使って、話の展開を考えることを意識してみてください。

これは「**見る角度を変える**」「**別の部分に光を当ててみる**」という作業を、「切

＋αの語彙力

【足下《あしもと》から鳥《とり》が立《た》つ】
急に慌ててなにかを始めること。
「足下から鳥が立つように部屋を出ていった」

り口」という単語を使って意図的に行うことです。

物体の切り口で考えた場合、垂直方向や斜めに切ると断面図が現れます。切り口を変えると、断面図の模様も変わります。

人体をX線で輪切りにして断面画像を確認するCTスキャン検査もそうです。人体を輪切りにするのはすごい発想ですが、断面図でないとわからない病気があるのです。

既存のものを褒めて、褒めて、褒めまくる

半世紀前ですが、私の父はフランスのルーブル美術館で「ミロのヴィーナス」を背後から写真に撮ってきて、「後ろ姿はなかなか見ないだろう」と見せてくれました。

単純なことですが、それも見る角度（切り口）を変える一例です。

芸術家の岡本太郎さんは縄文土器を見て、「これは芸術だ」と言いました。縄文土

＋αの語彙力
【横溢《おういつ》する】
気力が盛んなこと。
「新入社員のやる気が横溢しているようだ」

器に対する一般的なイメージとは違う視点……つまり芸術品として見たからこそ、縄の文様の美しさを発見することができたのですね。

ビジネスでも、視点をずらし、切り口を変えて、多面的に商品を見てみると、いままで気づかなかった新しい魅力を発見できることがあります。

切り口を探すのは、**褒めて褒めて褒めまくることがいい練習になります。**

なぜなら褒めるためには、どこがいいところかを探す切り口が必要だからです。

新しい企画が出てこないときは、「**切り口を変えると〜**」と言って既存商品の魅力を探して褒めると、いままで気づかなかった価値を再発見できることがあります。

つまり、切り口を変えることで新しいアイデアが生まれるのです。

覚えておきたい
モノの言い方

違うアプローチだと

目の付け所を変えると

焦点を変えると

アイデアが実現するか
確認したいときは……

シミュレーション
すると

実際にやってみたらどうなるか？

どんなにいいアイデアを思いついても、現実的に難しくて計画倒れに終わってしまうことがあります。

ビジネスに失敗はつきものですから、予想と現実のギャップに直面するのはよくあること。途中で慌てて計画を軌道修正したり、一から考え直すこともあるでしょう。

そういった事態を避けるためには、まずシミュレーションをしてみることです。

シミュレーションは、現実に起こりうることを予測して、模擬実験的に実際に近い状況をつくり出すことです。

シミュレーションすると、予測と違う点を見つけたり、改善点を分析したりするなどして、本格的にスタートしたあとのリスクを最小限に抑えることができます。

シミュレーションゲームの人気の影響もあるのかもしれませんが、ビジネスの世界

＋αの語彙力

【イニシャルコスト】
初期経費、最初の一時的な費用。
「この計画の難点はイニシャルコストの大きさです」

でもさまざまな領域で、「**今回の案件をシミュレーションしてみると〜**」という言い方が定着しています。

ある場所にマンションを建てるケースで考えてみましょう。

いまの時代は、コンピューターグラフィックスをはじめとした便利な機能がたくさんありますので、その場所に建物を建てたあとの仮想現実の世界をシミュレーションでつくり出すことができます。周辺環境、人や車の交通量、日当たりまで、わかる範囲の条件をかなり細部までビジュアル化できるので、それを見ながら説明を聞いた人は、完成したあとの生活をリアルにイメージできます。

「イメトレ」を習慣化する

言葉で説明すると人によって受け取り方が違ったり、誤解を招いたりすることがあ

+αの語彙力
【オーソリティ】
権威を持っている人のこと。
「この分野に関してはあの人がオーソリティだ」

りますが、シミュレーションするとそのリスクが大幅に軽減します。

スポーツ選手が行う「イメージトレーニング（イメトレ）」もシミュレーションと似ています。

試合前に、相手チームとの戦いをイメージしてトレーニングしていなければ、試合で想定外の展開になるとパニックになってしまうことがあります。

どんな世界でも想定外のことは起きます。ですから、実力が拮抗《きっこう》している場合、**勝敗を分けるのはシミュレーション能力の差**、といっても過言ではありません。

シミュレーション思考は、メンバーと共通認識を持つビジョンをつくり上げて仕事の効率化を図る上でも非常に役立ちます。

覚えておきたい モノの言い方

模擬的に

グランドデザインでは

事前演習してみると

第3章のまとめ

- アイデアを端的に伝えるときは……

「コンセプトは」

- 考えが行き詰まったときは……

「一度、更地にしてみると」

- 議論で新しい意見を出すときは……

「視点を変えると」

- アイデアがなにも思い浮かばないときは……

「組み合わせてみると」

- 新しい発想を取り入れたいときは……

「応用すると」

- 売れる商品・サービスをつくりたいときは……

「お客様の目線に立つと」

- 思考の幅を広げたいときは……

「切り口を変えると」

- アイデアが実現するか確認したいときは……

「シミュレーションすると」

第4章

「事実」と「意見」を区別する

相手を
動かしたいときは……

なぜかと
言いますと

「意見」と「理由」は必ずセットにする

コミュニケーションの落とし穴は、「言わなくてもわかってくれるだろう」「ここまで話す必要はないだろう」と勝手に思い込んでしまうことです。

意見がなかなか通らなかったり、理解を得られなかったりすることが多い人は、まず自分の説明不足を疑ってみてください。「それはなぜですか？」「どうしてそう思うんですか？」と聞かれるのも、意見だけ述べて理由を説明していない証拠です。

一例として、高齢者向けのアプリ開発について話し合いをしているとしましょう。

「これは簡単なので高齢者に需要があると思います」とだけ言っても、単なる個人的な意見や感想と思われてしまいがちです。

しかし、そのあとに続けて、

「なぜかと言いますと、自分の親も高齢で、スマホの操作をもっと簡単に

＋αの語彙力

【役不足《やくぶそく》】
力量に対して役目が軽いこと。
「先生には役不足なお願いかもしれませんが～」

してほしいといつもボヤいているからです。ここまで使い方が簡単なアプリはほかにないので、ニーズが高いと思います」

と言うと納得感が違います。かといって、説明が長すぎるのもよくありません。目安として15秒くらいでわかりやすく理由を述べるようにしてください。

お客の立場としてお店に希望を伝えるときも、理由を言うのと言わないのとでは、対応がガラッと変わることがよくあります。

「1階の席を予約したい」と希望して、「予約順ですのでお約束はできません」と返されたとします。それに対し、「**高齢者もいるので、2階だと階段の上り下りが大変なんですよ**」と理由を話せば、「そういうことでしたら、1階のお席をご用意いたしますね」と、大抵の人は了承してくれるでしょう。

依頼文にも必ず理由や動機を書こう

+αの語彙力

【掌《たなごころ》を指《さ》す】
物事が極めて明白であること。
「あの人は掌を指すように社内の事情にくわしい」

意見を述べるときも、相手の理解を得るためには理由の説明が不可欠なのです。

メールやSNSでの依頼文も同じです。

たとえば、「頭がいい人の話し方について取材させてください」とだけ書いてあるメールよりも、

「と言いますのも、自分も含めて30代の男性はコミュニケーションの悩みを抱えている人が多いため……」


と2、3行でも理由や動機が書いてあるほうが、「たしかにそういう話はよく聞くから受けてみようか」という前向きな気持ちになるものです。

意見は理由とセットで言うことで、説得力が格段に増すのです。

覚えておきたい モノの言い方

理由としては

それというのも

～と言いますのも

話を最後まで
聞いてもらいたいときは……

大づかみに
言うと

まず「鳥の目視点」で全体像を話そう

頭がいい人は、「**鳥の目視点**」で「最初に全体像を見せる」ところから話しはじめることの大切さを心得ています。

「**俯瞰的に見ると**」という言葉も使います。

これからどんな話が始まるのかイメージできると、聞き手は心の準備ができて、安心して耳を傾けてくれるからです。

逆に話の全体像がわからないと、「いったい、なんの話をするつもりなんだろう？」と気になって落ち着きませんよね。

自分が聞き役になると、そのことを嫌というほど痛感しているのに、いざ自分が話す立場になると忘れてしまう人が少なくないのです。

そして、細部ばかりを最初に語って、「話がまわりくどい」と思われてしまいます。

+αの語彙力

【寸毫《すんごう》も】
極めてわずかなこと。ほんの少しも。
「彼に責任がないことは寸毫の疑いもない」

そのように「蟻《あり》の目視点」で、細かいことをダラダラ話されると、聞いているほうはイライラして、「話し下手な人だ」と厳しい評価を下します。頭のいい人はそのことがわかっているため、「視点移動」するフレーズを意図的に用いるのです。

人間の理解は「全体→部分」の順序で進む

なかでも、「**大づかみで言うと**」「**ざっくり言うと**」という言い回しは便利です。

この「鳥の目視点」の話から切り出して、まずは全体像を語ります。

その上で、「**では次に、細かく説明していきましょう**」といった「**蟻の目視点**」で具体的な話をすれば、聞き手もストレスなく聞くことができるのです。

「視点移動」の言葉を使えると、多面的・俯瞰的な物の見方も身につきます。新約聖書の「ヨハネによる福音書」の冒頭にも、「はじめに言葉ありき」とあるように、最

＋αの語彙力

【腹蔵《ふくぞう》ない】

包み隠していることがないこと。

「腹蔵なく話をしましょう」

初のひと言には絶大な力があるのです。

たとえば、あるプロジェクトの成果について報告するケースで考えてみましょう。

最初に、「**全体的に見ると、このプロジェクトは成功でした**」と言われれば、その後の話も安心して聞くことができます。

ところがいきなり、「北海道、四国では目標に達しませんでした。関東では目標とほぼ同じ達成率で、関西では……」といった具合に細かく説明されると、「成功したのか失敗したのか、いったいどっちなんだ？」と言いたくなります。

このように、人の理解は「部分→全体」ではなく「全体→部分」の順に進みます。はじめに全体像を伝えることが、話し上手になるための第一歩なのです。

覚えておきたい
モノの言い方

ザックリ言うと

概括としては

おおむね

思考が独りよがりに
なりそうなときは……

客観的に見ると

「他人の視点」に立って考えるくせをつける

物の見方、感じ方は人によってさまざまです。

同じ本を読んで、「おもしろい！」と感動する人もいれば、「つまらない」とガッカリする人もいるように、だれもが見たまま感じたままの「主観」で生きています。

しかし、他人とコミュニケーションする場合は、自分の主観だけにとらわれていると、「独りよがりな人」と思われてしまいがちです。

それは、「他人の視点に立って考えることができない」というマイナスイメージになるので、ビジネスにおいてはなんのメリットもありません。

自分はつい主観に偏りがちなタイプだと思う人は、**「客観的に見ると」**という言い方を口癖にするといいでしょう。

人に説明するときも、**「客観的に見るとA案のほうが安心感はありますが、**

+αの語彙力

【白眉《はくび》】
もっとも傑出しているものや人のこと。
「この映画の白眉はこのシーンだ」

主観的にはB案の斬新な部分を試してみる価値はあると思っています」というふうに、意見を切り分けて話すと相手も理解しやすくなります。

全体と部分と同じように、**主観と客観も「視点移動」の基本**ですから、私もよく使い分けています。

3色ボールペンで「主観」と「客観」をメモ

手帳にメモするときも、**私は3色ボールペンを使って主観的に「おもしろい」と思うことは緑、客観的に「まあ、大事」と思うことは青、「すごく大事」なことは赤でメモする**ようにしています。そのように、普段から意識するだけでも、主観と客観を行き来しながら、切り分けて考えられるようになります。

大学の授業でも、「主観でおもしろいところに緑で線を引いてみよう。客観的に大

+αの語彙力

【外連味《けれんみ》】

ごまかしやハッタリ。

「あの人の言葉には外連味がなくていい」

事だと思うところには、赤と青に分けて線を引こう」と指導しています。

仕事でも、主観と客観の２つの視点を持たないと失敗することがあります。

実際、私も独りよがりに陥ってしまった本がありました。タイトルは、自分が絶対におもしろいと思い込んで『雑菌主義宣言！』（文藝春秋）に決めました。

雑菌は「厄介で不愉快なこと」の意味で、「心の免疫力を上げるためには雑菌を浴びてたくましく生きよう！」という内容なのですが、勇《いさ》み足で主観が強すぎたのでしょう。売れゆきは芳《かんば》しくありませんでした。

やはりどんなアイデアも、自分の主観より、その他大勢の人が納得しそうな客観性を重視しなければ、ただの自己満足で終わってしまうのです。

覚えておきたい
モノの言い方

第三者の視点では
俯瞰して見ると
一度立場を離れると

物事を
分析するときは……

共通点は

相違点は

ＡとＢの共通点と違いを探す視点を持とう

思考というのは、基本的に、２つの視点によって成り立っています。

１つは「**ＡとＢにはこういう共通点がある**」、もう１つは「**ＡとＢにはこういう違いがある**」というものです。

なにかを分析することが苦手な人はまず、対象となるものを２つ比較してください。そして、「**ＡとＢは違うように見えるけれども、共通点がある**」「**ＡとＢは似ているように見えるけれども、違いがある**」というように、つねに共通点や相違点を考える習慣を身につけるのです。

仮に、食生活の変化について考えるとしましょう。そこで２人の人間が、江戸時代といまの食事について、だれかに話すとします。

１人は、「江戸時代といまでは食生活もだいぶ変わりましたよね」と、たったひと

＋αの語彙力

【薫陶《くんとう》を受《う》ける】
優れた徳で育て上げられること。
「学生時代はあの先生に薫陶を受けました」

言でざっくり話すタイプ。もう1人は、

「**江戸時代といまの食事の共通点は、米、味噌、醤油を使った和食を食べるところです。でも大きく違う点は、調味料も食材も多様化して、和洋中さまざまな料理を日常的に食べるようになった点ですね**」

と説明するタイプ。どちらが頭のいい人か、この話し方だけでも歴然としています。

身近なものの差異から思考力を高める

後者になるためには、あるものと別のものをつなげて、似ている点を見つける能力と、同じようで異なるものを見つける2つの能力が求められるのです。

「考える」とは、簡単に言うと「比較して差異を見つける」ことです。学問でも、「これとこれは似ているようで違う」「これとこれは違うように見えるけれども似ている」

＋αの語彙力

【顰《ひそみ》に倣《なら》う】
見習うことを謙遜した表現。
「先生の顰に倣って研究をはじめました」

と考えることができれば、どんな研究もできると言っても過言ではありません。

「源氏物語と枕草子はどちらも平安時代の女性が書いたものだけれど、ここが違う」

といったように、2つのものごとの相違・差異を説明できればいいのです。

差異を見つける思考の練習は、身近なところでいくらでもできます。身の回りにある「赤」や「青」の色を1つとっても、よくよく見ると微妙に色合いが違うので「赤」は「赤」でも何種類もの色に分かれることがわかります。

普段ぼんやりと見ていることも、そのくらい注意深く比較して違いを探す視点を持てば、思考力も高まっていくのです。

覚えておきたい
モノの言い方

類似点は → 共通項としては

ギャップは → 隔たりがあるのは

信頼される

話し方がしたいときは……

ここからは
推測ですが

「知っているつもり」にならない

スマホ１つで、日々さまざまな情報に触れることができるのは便利です。しかしその影響で、フェイクニュースも含めて**事実かどうかわからないことを「知っているつもり」になっている人も増えている**ように感じます。

テレビ番組のコメンテーターでも、思い込みや決めつけや自分勝手なイメージを、まるで「事実」のように語る人がいます。たとえば、殺人事件でまだ犯人が特定されていない段階でも、容疑者を犯人だと決めつけて話している人がいると、思わず「えっ！」と声をあげて驚くことがあります。私もテレビに出ていますので、それがどれほど視聴者の誤解を招く危険なことか、よくわかっているからです。

また、当たり前のように、「最近、残虐な事件が増えていますが〜」と言う人がいると、「統計上は残虐《ざんぎゃく》な事件が減っていることを知らないんだな」と呆れてしまいます。

＋αの語彙力

【爾来《じらい》】
それ以降、そのとき以来。
「３年前にトラブルがあって、爾来、つき合いがない」

それでも、自分のなかで思い込んでいるだけならだれにも迷惑はかけません。しかし、人に話す場合は、「**どこまでが事実で、どこからが自分の意見や推測なのか**」はっきりと区別した上で話す必要があります。

「事実」と「意見」をはっきり切りわけよう

事実と意見の境界線がはっきりしない話をする人は、要注意人物です。そういう人の話で、「その話は信じられないな」と引っかかったとき、私は「ということは、事実関係としては○○ですね」と確認することもあります。事実と意見がごっちゃの人の話は、注意して聞く必要があります。

決めつけや思い込みによる発言を減らしたい場合は、「**これは私の意見ですが**」「**ここからは推測ですが**」といった言葉を意識的に使ってください。

＋αの語彙力

【随身《ずいじん》する】
目上の人に付き従うこと。
「今日は部長の外出に随身します」

このような言い方が身につくと、発言する前に**「これは事実か、意見か、推測か？」**と自己確認するようになり、うかつなことは言わなくなるからです。

頭がいい人は、「ファクト（事実）」を重視しますが、推測や意見も相手にそうとはっきり示せば問題ありません。

「ここまでは事実ですが、ここからは自分の意見です」

「これは○○さんから聞いた話なので事実かどうかわかりませんが」

とはっきり言えば、相手もそのつもりで聞くので誤解を招かないからです。

意見や推測を、さも事実のように話すと、あとで「君に聞いた話、間違っていたよ」と指摘されて恥をかき、信用も失いますから気をつけましょう。

覚えておきたい
モノの言い方

憶測となりますが

私見ですが

個人的な見解では

仕事量の多さに
パニックになりそうなときは……

まず段取り
としては

「タスク」を時間単位で組み合わせる

いつも「バタバタしていて」というのが口癖で、遅刻したり返事が遅れたり、なかなかスケジュールを守れない人がいます。

会議でも事前の段取りの組み方が甘く、ダラダラと時間をかける、仕切り力の足りない人がいます。

その一方で、「**まず今日の段取りとしては～**」と説明をはじめて、テキパキと短時間で会議を終わらせる人もいます。

「段取りが悪い」というのは、「仕事ができない」ことの代名詞のようなものです。

大量の仕事を余裕をもってこなしている人と、それほどの仕事量でもないのにアタフタしている人とでは、「段取り力」がまったく違うのです。

仕事量が多くても、「何時までになにを終わらせる」「何分でこれを片づける」と、

＋αの語彙力
【逼迫《ひっぱく》する】
苦痛や危機が差し迫ること。事態が差し迫ること。
「トラブルで状況が逼迫している」

「タスク」を時間単位で組み合わせれば段取り力が身につきます。

つまり、**段取り力がある人は時間感覚に優れているのです。**

第2章でアドバイスしたように、締切（デッドライン）を意識することはなにより も大事です。

ただ、仕事量の多さにパニックになって、「なにから手をつけていいかわからなく なる」という人は、まずはやるべきことに優先順位をつけることです。そして、優先 順位の高いことから時間単位で進めていく感覚を身につけてください。

「目的」と「手段」はなにか？

以前、小学生を集めて3分ほどの料理番組を見せ、料理の段取りをメモしてもらっ たことがありました。「つくり方がわかった人？」と聞いたら、ある女の子が発表し

+αの語彙力

【諧謔《かいぎゃく》】

おどけて滑稽なこと、気の利いた言葉。

「諧謔を交えつつ語る」

てくれました。15ほどの細かい段取りのメモができていて、しかもそれを見ずにスラスラと説明したのです。その観察力と記憶力と、「全体を見ながら細部の工程を抜き出す」という目的をしっかり理解している思考力の高さにびっくりしました。

逆に、「なにか料理をつくっているな」くらいの感覚で、ボーッと見ているだけの子は、目的意識が足りないので、段取りの抜き出しも甘いのです。

段取りも練習で鍛えられますから、段取りが苦手な教え子がいたら、1週間でやることを1から20まで書き込む「**段取りシート**」を配ります。

頭で考えるより、型から入って1つずつ実行すると達成感もあります。段取り力も身につくので、自分で「段取りノート」をつくって活用するのもおすすめです。

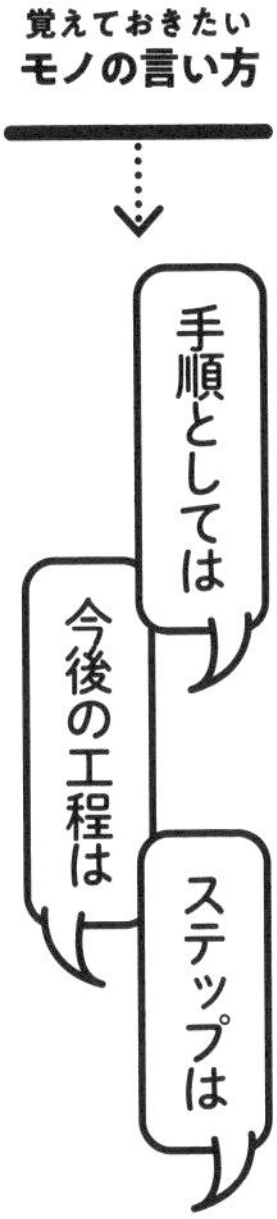
覚えておきたい
モノの言い方
手順としては
今後の工程は
ステップは

目標を設定

するときは……

長期的には

短期的には

長期と短期のタイムスパンを考える

話し方でも仕事でも、頭をスッキリと整理するためには、タイムスパンを決めて物事を考えることが大事です。

目標設定でも同じです。目標だけ立てて「それはいったい、いつまでにやるつもりなんだろう？」と相手をモヤモヤさせる人と、短期と長期それぞれのスパンの目標を立てて相手に見通しを示せる人とでは、信用度と安心感がまったく違います。

目標には、最終的な大きな展望と、それに向けた具体的な案が必要です。ですから、それぞれを「**長期的には〜**」「**短期的には〜**」と分けて話せばいいのです。

私たち大学教員も、毎年、年度計画書のような書類を提出しますので、長期計画と短期計画を項目別に書きます。それをもとに、最終的な目標はどこなのか、そのために今年度中はなにをしたいのかを説明します。最低でもこの二段階の説明が必要なの

＋αの語彙力

【色《いろ》を失《うしな》う】
予想外のことにどうしていいかわからなくなること。
「突然の訃報に色を失いました」

です。

会社の場合、長期、中期、短期のタイムスパンで計画を立てることもあります。長期目標としては最終的なビジョンを示し、中期で3年後の目標を立てて、短期で今年度やるべきことを決めるわけです。

それぞれのスパンの目標を、みんなで定期的に確認していくと、お互いの共通認識と一体感が生まれやすくなります。その繰り返しのなかで、方向転換や軌道修正が必要になることもありますから、その都度、計画をアレンジしたり変更すれば、混乱も避けられるでしょう。

大谷翔平選手も実践した「マンダラチャート」

目標設定の仕方の1つとして、メジャーリーガーの大谷翔平選手も実践した「マン

+αの語彙力

【微《び》に入《い》り細《さい》を穿《うが》つ】
とても細かいところまで気を配ること。
「微に入り細を穿ったすばらしいプレゼンだった」

ダラチャート」と呼ばれる9マス思考法もあります。これは、縦横3×3に区切ったマスの真ん中に最終的な目標を書き、その目標を達成するために必要な8の要素を周りの枠に書き込んでいく「目標達成シート」のようなものです。

この方法で、目標とそのためにやるべきことをフォーマット化して、壁に貼ったり手帳に書き込んでおくと忘れません。

たった9マスですから一目瞭然で、確認するたびに頭も整理されます。ただし、目標設定には時間軸が不可欠なので、9マス思考法も、長期と短期のスパンごとに作成するか、定期的にやるべきことを見直したほうがいいでしょう。

覚えておきたい
モノの言い方

青写真としては
↓
最終的には

当座の目標としては
↓
過渡的な目標は

論理的に
考えたいときは……

逆算して
考えると

話の内容のゴール（目的）を設定しよう

論理的な思考力というのは、物事をきちんと筋道立てて考える力です。

話をするとき筋道立てて話すのが苦手な人は、先に話す内容のゴール（目的）を設定して、「**そのゴールにたどりつくために、いまこれをやっています**」「**ゴールに近づくにはこれが必要です**」と逆算して話を展開するといいでしょう。

私たちが人と話しているとき、もっとも不安や迷いを感じるのは、相手の話がどこに向かっているのか、なんのために話していることなのかが、わからなくなることです。それだけに、着地点がわかっている話は安心して聞くことができるのです。

「**逆算思考**」ができれば、多少、話が脇にそれても、ゴールが見えているので迷走することがありません。

私が本を書くときも、編集者の方から「このタイトルでお願いしたい」とゴールを

＋αの語彙力

【昵懇《じっこん》】

親しく交わること、親しいこと。

「あの人とは昵懇の間柄だから、私から話そう」

示されると、そのテーマに必要な要素を考えて一気に仕上げることができます。講演を依頼されるときも、なんらかのテーマを提示されて、それに沿って話を組み立てるのが常です。

反対に、ゴールを決めず逆算思考をしない人は、漠然と「こうすればいいだろう」「なんとかなるだろう」という仮定からスタートするので、途中で迷走してなかなかゴールにたどりつけないのです。

「目的」と「手段」が逆にならないように

みなさんが学校で学んだ、算数の証明問題を思い出してみてください。たとえば、「二等辺三角形の底角が等しいことを証明しなさい」という問題を解くのであれば、「2つの辺の長さが等しい」というのが定義（＝スタート）で、「底角が等しい」がゴー

＋αの語彙力

【瀟洒《しょうしゃ》】

すっきりと垢抜けていること。洗練されていること。

「あの人はいつも瀟洒な装いをしている」

ルです。それを証明するには、まずゴールから逆算します。頂点から垂線を引いてできた2つの三角形の合同を説明します。

逆算思考ができないと、目的と手段が逆になることもあります。

試合で勝つことが目的（ゴール）で、そのために必要な練習をしなければならないのに、練習（手段）することが目的になってしまうのです。

経営者でも、会社の利益を上げることより、事業を起こすことが目的になってしまうと、無駄な借金を負うことになりかねません。

目的と手段を間違えないためにも、数学の証明問題を解くようなつもりで、ゴールから逆算して論点を組み立てれば、論理的に話すことができるのです。

覚えておきたい モノの言い方

ゴールから逆算すると

↓

演繹的に考えると

さかのぼって考えると

頭のなかを
スッキリさせたいなら……

座標軸で
考えると

話のポイントを２つの座標軸で考える

私たちは中学・高校時代に、数学をはじめとする理系の教科を学び、論理的思考力を鍛える練習をしてきました。それが苦手だった人もいると思いますが、学校で習ったことをコミュニケーションで応用できることは多いものです。

とくに、**いつも頭のなかがゴチャゴチャして、考えを整理するのが苦手な人に有効なのは、「図」や「座標軸」で考える思考法です。**

簡単な例として、縦軸に「価格（高い・安い）」を、横軸に「機能性（多機能・単機能）」をとった座標軸で考えてみましょう。

市場全体のなかで自社製品がどこに位置するか、座標軸で考えれば、強みと弱みが見えてきます。その座標軸に競合他社の製品も当てはめていくと、容易に比較することもできるのです。

＋αの語彙力

【夢寐《むび》にも】
眠っている間も、片時も。
「このご恩は夢寐にも忘れません」

ビジネスのコミュニケーションも同じです。まず、話したいポイントとなる軸を2つ決めて、その座標軸をもとに説明すると、頭が整理されて理解しやすくなります。そのため、考えをまとめるときに「**座標軸で考えると〜**」と始めるといいのです。

図にすれば全体像が一瞬で理解できる

言葉で説明すると回りくどくなりそうな内容は、「**図で説明しますと〜**」「**図解しますと〜**」などと言うのも有効な手段です。

テレビ番組のフリップや、新聞・雑誌で多用される図表などがわかりやすい例でしょう。1枚の図で、話の全体像が一瞬にして理解できるのはよくあることです。

仕事の悩みごとを相談するときも、まず原因になっている出来事を思いつくまま書き出します。それらを、

+αの語彙力

【寛恕《かんじょ》】
心が広く、思いやりがあること。過ちを咎めないこと。
「ご寛恕くださいましてありがとうございます」

①　顧客との関係がよくない

②　計画が予定通りに進まない

③　チームの連携がうまくいかない

など、大きな括りでまとめて○や□で囲んだり、「＝」「↓」で結んだりして関係性を可視化します。すると全体像が見え、整理して伝えることができるでしょう。図化はシステム思考（30ページ参照）でもあります。

このスキルは、人の話を聞くときに、その内容を自分で「図式化」することで鍛えられます。私自身、40年以上も前から、人の話は図にして「構造化」する作業を続けてきたので、どんなにややこしい話でも整理して理解できるようになりました。

覚えておきたいモノの言い方

図式化すると

一覧にまとめると

四象限で表せば

わかりやすく
説明したいときは……

対照的な
ものは

同じケース
としては

あえて対照的なものと比較する

ある物事について説明するとき、**まったく性質の異なる対照的なものと比較すると、特徴がよりはっきりしてわかりやすくなる**ことがあります。

たとえば、失恋をテーマにした曲でも、back number《バックナンバー》とAlexandros《アレキサンドロス》というバンドを比較すると、「こんなにも違うのか！」と思います。back numberは優しくて未練がましいような歌詞と抒情《じょじょう》的なメロディが特徴です。ところがAlexandrosは、いかにも強くてアグレッシブな、これぞロックミュージックという感じです。

「若者に人気のあるバンド」というくくりでは同じようなゾーンにいる両者ですが、まったく「似て非なるもの」なので、お互い照らし合わせて説明すると、違いがくっきりと浮かび上がるというわけです。

このとき注意すべき点は、自分がいいと思っているものの魅力を強調したいあま

+αの語彙力

【不調法《ぶちょうほう》】
行き届かないこと。
「不調法で恐縮ですが～」

り、対照的なものをこき下ろしてしまうことです。

どんな場面でもそうですが、ほかの悪口を言って、もう片方を褒める論法は、聞いているほうとしてもいい気分はしません。場合によっては、差別的で失礼な人だと思われる可能性もあります。

ですから、対照的なものと比較して説明するときは、詩人の金子みすゞの、「みんなちがって　みんないい」という考え方を前提にして、それぞれの良さを伝えるといいでしょう。

同様の例を出してイメージさせる

一方、対照的なものより、あえて同じような例を引き合いに出すとイメージしやすいこともあります。

+αの語彙力

【拠無い《よんどころな》】

そうするより仕方がない、やむを得ない。

「拠無い事情により～」

「今回のプロジェクトと同じようなケースとしては、他社のこういう取り組みがあります。メリットとデメリットはそれぞれこういう点です」

というふうに説明すると、「よく研究しているな」という印象を与えます。

多様性の時代になると、人の価値基準も多様化していきます。

とくに国や文化が異なる人の場合、日本では良しとされていることでも、海外の国では「理解できない」ということはよくあります。

大事な話を自分の価値観だけで説明して、誤解を招くようなことを避けるためにも、**相手が知っている既存のものとの相違点を示してあげたほうが、スッキリと理解できる**ことが多いのです。

覚えておきたいモノの言い方

相対するものとして

～と対比すると

先例としては

類似のものでは

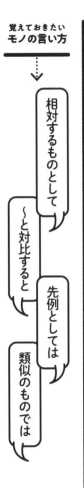

第4章のまとめ

- 相手を動かしたいときは……
  「なぜかと言いますと」
- 話を最後まで聞いてもらいたいときは……
  「大づかみに言うと」
- 思考が独りよがりになりそうなときは……
  「客観的に見ると」
- 物事を分析するときは……
  「共通点は」「相違点は」
- 信頼される話し方がしたいときは……
  「ここからは推測ですが」
- 仕事量の多さにパニックになりそうなときは……
  「まず段取りとしては」
- 目標を設定するときは……
  「長期的には」「短期的には」
- 論理的に考えたいときは……
  「逆算して考えると」
- 頭のなかをスッキリさせたいなら……
  「座標軸で考えると」
- わかりやすく説明したいときは……
  「対照的なものは」「同じケースとしては」

第5章

「本音」と「根拠」を織り交ぜる

相手の心を

開きたいときは……

ありていに
言えば

会話に少しだけ「本音」を盛り込む

フォーマルな会議や、重要な案件を取引先へ説明する場合など、緊張するあまり話が四角四面になりすぎて、雰囲気が堅苦しくなることがあります。

仕事に限らず、同僚や友人とおしゃべりするときも、「自分の話は面白味に欠けて場が盛り上がらない……」という悩みを持つ人はいるのではないでしょうか。

コミュニケーション能力が高い人は、お互いの心を開きやすくするため、適度にカジュアルな雰囲気をつくり出すことが上手です。

私はそのための1つの方法として、会話に「本音の話」を盛り込むことがあります。

よく用いるのは、「**ありていに言えば**」「**正直に言って**」「**ここだけの話ですが**」といった言い回しです。

取引先へプレゼンするとき、商品やサービスの新企画を完ぺきに提案できたとしま

+αの語彙力

【万障《ばんしょう》お繰《く》り合《あ》わせ】
催事に招くとき参加を促す丁寧な言い回し。
「万障お繰り合わせの上、ご出席くださいませ」

しょう。でもその後、

「ただ1つだけ気になっていることがあります。ありていに言いますと、御社の広告は若干、古いイメージがあるので、この機会に宣伝マーケティングの方法も見直したほうがいいと思うのです」

と言ってみると、「じつはそれ、ウチも気になっていたんですよ」と相手も本音を打ち明けてくれるかもしれません。

「正直」な面が見えると親近感を覚える

あるいは社内で、いままでのシステムを改善するかどうかの議論になったとき。「いまのシステムをこのように変えれば、これだけ業務効率が高まります」と理屈で説明した後、**「率直に言えば、会社のシステムが新しく変わるだけで、作業スト**

+αの語彙力

【放念《ほうねん》】

気にかけないこと、心配しないこと。

「なにとぞ、ご放念ください」

レスが大幅に減ります」とひと言付け加えると、聞くほうも「システム改革はそんなに重要なのか」と思って、受け取り方も違ってくるでしょう。

私が講演会で話をするときも、「**正直に言って、これはここだけの話なので、SNSでつぶやくのはご遠慮くださいね**」と言うと、みなさんの表情が一気に和らいで、会場がリラックスした雰囲気に包まれます。

他人の本音や裏話を聞くと、秘密を共有している感じがするので、お互いちょっと距離が縮まった気分になるのでしょう。

もちろん、本音を言い過ぎると関係性が壊れることがあるので注意が必要ですが、本音を小出しにする人のほうが、親近感を覚えやすいのは間違いないでしょう。

覚えておきたい
モノの言い方

忌憚《きたん》なく言えば

オフレコでお願いしますが

本音で言うと

自分の意見を
通したいときは……

代替案としては

いつも複数のアイデアを考えておこう

議論や話し合いというのは、賛成も反対も含めてみんなで意見を言い合いながら、なにかしらの結論に導いていくことが目的です。

ですから、自分の意見に反対されただけで、思考が止まってしまうようでは、話し合いになりません。

逆に、反対意見が出てもあの手この手でうまく切り返して、発展的な方向性へ持っていく人のほうが、話し上手で頭がいい印象を持たれるのです。

第1章では「折衷案」を提示する言い方について述べました。

もう1つ、自分の意見を通して、なんとか相手から「YES」をもらいたい場合は、「**ここまでだったら妥協できる**」「**こういう方法でも自分がやりたいことはできる**」と思える「代替案」を用意しておくのも有効です。

＋αの語彙力

【BATNA（バトナ）】
Best Altenative To a Negotiated Agreement の略で、もっとも望ましい代替案のこと。

議論では「お互いの利益を最大化」する

「にほんごであそぼ」の番組会議の場では、みんな「これでもか！」というほどアイデアを出し合います。

一般論より、おもしろい具体案をどれだけ出せるかが勝負ですから、現実味のないアイデアに対しては、反対意見も出ます。しかし、そこで議論が止まると、おもしろい企画はなにも決まりません。

そのため、**自分が「これは絶対におもしろい！」と思う企画や、やってみたいと思う企画を出した人は、たとえ反対されてもひたすら代替案を出し続けるのです。**そういう人は、一発で頭がいい人という印象を与えます。

逆に、組織でよくあるケースは、考えが古く否定的で、人の意見を潰してばかりのデストロイヤー（破壊者）のような人がいることです。

＋αの語彙力

【天王山《てんのうざん》】
勝敗を分かつ重大な局面のこと。
「明日のプレゼンが天王山になるだろう」

自分が精いっぱい考えたことにダメ出しされたうえに、相手から代替案も出なければ、生産的な話し合いはできません。

ですから、デストロイヤーに勝つためにも「**代替案としてはこういうアイデアも考えられます**」と、次の一手を打てるように準備しておくのです。

以前、弁護士の先生と交渉術について語った対談本を出したことがあります。その先生は、議論でももっとも重視すべきことは、「お互いの利益を最大化することだ」とおっしゃっていました。

そのためにも、代替案を出すことは非常に有効な手段となるのです。

覚えておきたい
モノの言い方

プランBとして

対案としては

別のアプローチでは

説得力を
高めたいなら……

メリットは

デメリットは

メリットしか言わない人は信用されない

何事にもメリット、デメリットがあります。にもかかわらず、セールストークで商品のメリットしか言わないような営業マンは、信用できない人だと思われます。

とくにいまはインターネットでなんでも調べることができます。ちょっとおかしいと思ったことも、なにか問題が起きたときも、SNSですぐ発信できる時代ですから、嘘やごまかしは通用しません。

それだけに、**あえてメリットとデメリットも伝えて、「なにも隠し立てしていません」というイメージを相手に与えたほうが、説得力も増して信用を得られやすいのです。**

悪い例としてわかりやすいのは、金融商品の営業です。本当は元本割れするリスクがある商品なのに、「資産を増やせます」「運用次第で大きな利益が出ます」と、メリッ

＋αの語彙力
【リクープする】
損失を取り戻すこと。費用を回収すること。
「プロジェクトのコストは必ずリクープするように」

トしかないような売り方をして、デメリットについては「契約書をよくお読みください」だけで済ませる人がいます。

そういう不誠実な営業に引っかかると、後になって「元本割れするという話は聞いてない」といったトラブルが起こりやすいのです。

人間は短所だって魅力になる

就職活動の面接でも、自分の長所ばかりアピールするのではなく、短所もあえて正直に言ったほうが、好印象を与えることがあります。

たとえば、面接で旅好きの学生に、

「**僕は旅が好きでじっとしていられないタイプです。世界一周旅行の資金を貯めるためバイトばかりしていたら、朝起きられず単位を落としました**」

+αの語彙力
【インボイス】
納品書、商品の送り状。
「発送の際にはインボイスを同封してください」

と話をされたら、私が面接官だったら「おもしろそうな学生だな」と思いますね。

あるいは、私が自分の授業について説明するとしたらこう言います。

「**メリットは、『個』が強くなり、少々のことではへこたれず精神がたくましくなることです。一方、デメリットとしては、全体的に元気が良すぎるきらいがあるので、おとなしい人はとまどう可能性があることです**」

このようにメリット、デメリットをセットで伝えることは、相手が「選ぶか、選ばないか」「やるか、やらないか」を判断する重要な条件となるのです。

ただし、メリットよりデメリットを多く伝えると、ネガティブな印象を持たれてしまいますから、そこは注意が必要だということを忘れないでください。

覚えておきたい
モノの言い方

強みと弱みは

↓

アピールポイントは

ウィークポイントは

専門的なことを
話すときは……

キーワードは

キーワードを3～5個ピックアップする

講演会やシンポジウムで「その道の専門家」の話を聞くことがあります。

専門知識に長《た》けているという意味では、研究者も技術者もそうですし、趣味の域まで広げれば「マニア」と呼ばれる知識豊富な人たちもたくさんいます。

そういった人たちの話でよくありがちなのが、一般の人が理解できない専門用語を多用したり、わかりにくい説明を長々と続けるケースです。

要するに聞き手に対して、難しいことをわかりやすく説明する配慮が抜け落ちているので、いくら頭がよくても物知りでも相手が興醒《きょうざ》めしてしまうのです。

自分がついついそのような「イタい専門家」になりがちな人は、**だれでもわかる一般的な言葉の「キーワード」を軸に話をすることを意識してください。**

話す内容からピックアップするキーワードは3～5個ほどがいいでしょう。専門用

＋αの語彙力

【アカウンタビリティ】

説明責任、義務。

「今回の一件のアカウンタビリティを果たす」

語を平易な言葉に置き換えて、そのキーワードをもとに話の流れを組み立てるのです。

さらに効果的な方法は、**相手が小学校高学年の子どもだと想定して説明することです。**相手が小学生だと思えば、専門的な難しい話も、自然とわかりやすく噛み砕いて説明しようと努力するはずです。

イメージとしては、落語家が客席から「人物」「場所」「品物」の3つのお題をもらって、即興で一席をぶつ「三題噺《ばなし》」に似ています。キーワードで話をまとめて、わかりやすく整理するのです。

例示すると難しい話がわかりやすくなる

話がうまい専門家には、「**たとえば～**」と例示で簡潔に説明する人もいます。

仮に美術評論家が、画家のゴッホのすごさを伝える場合、細かい技法や作品全般に

+αの語彙力
【ナレッジ】
知識。
「ノウハウをナレッジとして共有する」

ついて長々と言葉で説明されるよりも、1枚の絵を例にとって丁寧に解説してもらったほうがわかりやすい、というのはよくあることです。

以前、作詞家の松本隆さんに、どうすれば素晴らしい詞をつくれるのか聞いたことがありました。松本さんは、Kinki Kidsのデビュー曲『硝子《ガラス》の少年』を例に挙げて、「この詞は尾崎紅葉の『金色夜叉』を下敷きにして書いたんです」と、すごくわかりやすくその製作過程を話してくださいました。

自分が聞き手に求められていることがなにかわかれば、話し方にも工夫が必要だと気づくはずですから、専門家ほど客観的な視点が不可欠だと言えるでしょう。

覚えておきたい
モノの言い方

話のキモは

話のミソは

キーになるのは

一言で表現すると

話を短く
したいときは……

シンプルに
言うと

不必要な話の無駄を省く

話が長い人は、相手の時間を奪う仕事ができない人。そう思われても仕方ないほど、いまは「時は金なり」という考え方が浸透して、時間の価値観が重要視されるようになりました。

第2章でも触れたアップル創業者のスティーブ・ジョブズも、時間だけでなくすべてにおいて徹底的に無駄を省く「シンプルさ」にこだわった人です。iPhoneが登場する前の携帯電話やスマホには、さまざまな機能に合わせて複数のボタンがついていたため、使いこなすまでにかなりの努力を要しました。

そこでジョブズは、

「『1』は疑いもなく、人間が発明したもっとも単純な数字だ。単純だから子どもでもわかる。『1』から離れれば離れるほど複雑になっていく」（『Think Simple』）

+αの語彙力

【芳情《ほうじょう》】
相手の思いやりを敬って言う言葉。
「ご芳情を賜りまして～」

と考え、iPhoneのボタンを1つにすることに最後までこだわったのです。

そして、開発の過程で提案されたアイデアをことごとく却下して、シンプルの象徴ともいえるiPhoneの最終形にたどり着いたといいます。

ボタン1つのシンプルさは、使う人の努力を必要としません。それはコミュニケーションにおいても同じです。

15秒でポイントを簡潔に説明しよう

話が長い人より、「**シンプルに言うと**」「**端的に言えば**」とポイントを簡潔に説明できる人のほうが、聞き手に無駄な努力も時間も使わせずにすむのです。

アップルがこだわったシンプルさには、「10のコアな要素」があります。

くわしい説明は、『Think Simple』を読んでいただくとして、ここではそのなかで、

+αの語彙力

【提灯持ち《ちょうちんも》】

人の手先としてその人を褒めて回る人。

「いつまでも提灯持ちをしているわけにもいかない」

とくにコミュニケーションに求められる2つの要素を紹介しましょう。

まずは「**容赦なく伝える**」。これは、「真実を隠さず伝える」ということです。正直に意思疎通すればするほど、コミュニケーションはシンプルになっていくのです。

もう1つ、「**カジュアルに話し合う**」。形式ばった話をしなくなるので、すぐに実践するといいでしょう。

私のおすすめは、話す時間を短く決めることです。話し下手な学生でも、15秒でスピーチする練習をすると簡潔に話せるようになります。これは即効性がある方法ですから、ぜひ試してみてくださいね。

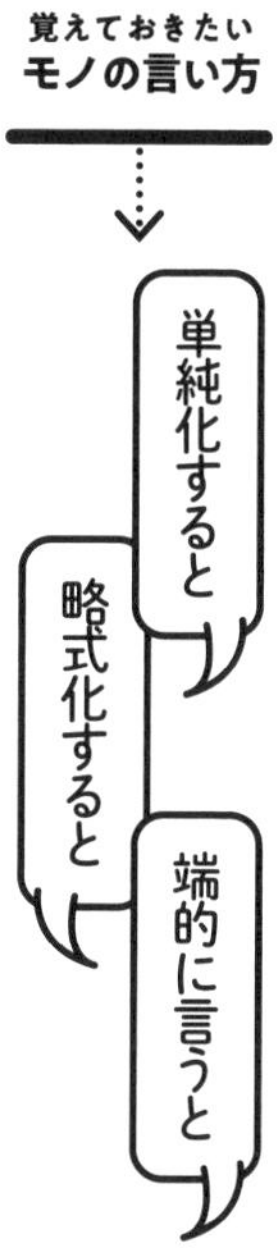
覚えておきたい
モノの言い方
単純化すると
略式化すると
端的に言うと

聞き手を納得
させたいときは……

エビデンスは

納得するのは「論拠」や「データ」がある話

どんなに立派な意見を主張しても、聞き手が納得していない様子のときは、話の説得力に欠けている可能性があります。ただの雑談であれば、そのまま聞き流してもらっても構わないでしょう。しかし**ビジネスの場で相手に理解を求める場合は、その話の根拠となるものを示さなければいけません。**

頭がいい人の話し方を見ていると、必要に応じて、「この論拠は～」「データを示すと～」「エビデンスは～」といった言葉を使い分けています。

仮に、「最近は独身の人が増えているので、おひとりさま向けのサービスがいいと思います」と言っても、ただの個人的な意見だと思われます。しかし、

「エビデンスを示しますと、いまは、30～40代の○％が未婚です。おひとりさま向けのサービスも、ＡやＢの商品の需要が昨年の２割増しで増えて

＋αの語彙力
【スキーム】
計画、案、図式。
「新規ビジネスのスキームをつくる」

います。そこで、ほかと差別化できるCのサービスを提案します」

と言われれば納得感があります。

官僚から作家に転身した故・堺屋太一さんとお会いしたときのことです。堺屋さんは経済企画庁長官も務めた方で、『データでみる安全な国 日本』という小冊子を責任編集してつくられたほど、数字をとても重視される方でした。

私がお話ししたときも、統計をまとめた手帳を見せてくださって、「作家としての発想力はこうしたデータに基づいているんだなぁ」と感銘を受けたものです。

アンケートなどで裏付けをとる

私が勤める大学で新しい学部の名称を議論したときのことです。3つほど候補が出て、その1つの「社会共生学部」という案は、おもに50歳以上の男性が話し合って出

+αの語彙力

【コンフィデンシャル】

公開しないこと。秘密であること。

「この件はコンフィデンシャルでお願いします」

したアイデアで、優勢でした。もう1つ「情報コミュニケーション学部」という案もあり、私の勘ではベストと思ったのですが、説得材料がなかったのです。

そこで、次回の会議までにアンケートをとりました。私の教え子で中学高校の先生になった人たちにお願いしたら、数百人の生徒がアンケートに協力してくれて「情報コミュニケーション学部」が一番票を集めたのです。このアンケートだけが要因ではありませんが、結果的に、学部名はこの名称になりました。当初から現在まで人気の学部です。

このように、自分の勘やひらめきでピンときたことを裏付ける方法もありますので、説得力に欠けるからといってすぐにあきらめないことです。

覚えておきたい
モノの言い方

根拠となるのは

裏付けとなるのは

～に基づいて

細かい話を
するときは……

厳密に
言うと

ざっくり話したあと経緯を説明する

会社の会議などで、トップがざっくりとした経営状況や見通しについて短く話したあと、現場のリーダーが担当する事業について具体的な説明をすることがあります。

このように、ざっくりと大ざっぱに話す人と、細かいことをくわしく話す人が役割分担する場合は別ですが、自分１人で説明するときは、話が大ざっぱすぎると相手が理解に苦しむことがあります。

会議でよく、「それってどういうこと？」「具体的には？」と聞かれる人は、大ざっぱな話をしたあとで、「**厳密に言うと**」「**くわしくは～**」と続けて、具体的な話まですることを心がけてください。

仮に、自分が担当した商品の売れ行きについて報告することを想定してみましょう。

普段だったら、「目標の売上げまで近づいてきているので大丈夫だと思います」と

＋αの語彙力

【半畳《はんじょう》を入《い》れる】
野次をとばすこと。
「ライバルの意見に半畳を入れる」

言うだけで終わるかもしれません。しかし、そのあとに、

「**くわしくは、4月の発売直後に実施した広告効果で数百件の問い合わせがありまして、その後3ヶ月間ほど口コミ効果で販売数も増えていきました**」

と付け加えれば具体性が高まります。

説明が長くなるならA4用紙1枚に

詳細が多いときや説明が長くなる場合は、紙にまとめたほうがお互い楽でわかりやすくなります。**できるだけA4用紙1枚にして、相手が見てすぐに理解できるように簡潔にまとめると、できる人だと思われます。**

私の同僚にも、詳細を完ぺきに紙にまとめる優秀な人がいます。トラブルが起きたときも、経緯として把握すべき事実が時系列で記録してあるので、話し合いのときに

+αの語彙力

【就中《なかんずく》】

そのなかでも、とりわけ。

「いくつかある項目でも、就中、重要なのは～」

細かいことをいちいち確認する手間が省けるのです。

その人がまとめた紙さえあれば、「**ポイントは下から5行目のこれです**」とか、「**対策が終わったものはチェックボックスに印をつけていけば大丈夫です**」といったように、一目瞭然ですべてを共有できるので、みんな本当に助かっています。

トラブル処理でも、「なんとかなりました」とざっくりした報告だけで終わる人は要注意です。反対に、

「**今回のトラブル処理にあたっての詳細は、別途ご報告します**」

と言って、先方とのやりとりの経緯をまとめたメールを同報するような人は、「たいしたものだ。処理能力に優れている人だな」と安心できるのです。

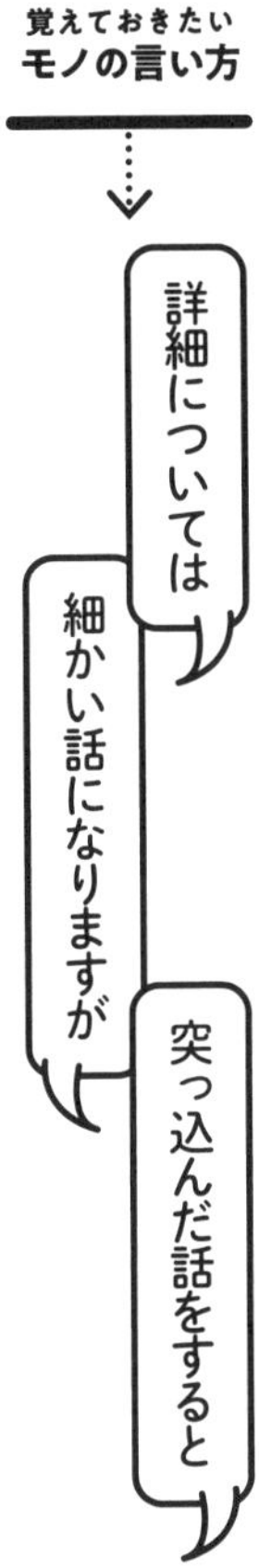
覚えておきたいモノの言い方
詳細については
細かい話になりますが
突っ込んだ話をすると

言いにくいことを
言いたいときは……

方向性としては

言いにくいことを言うことも仕事のうち

言いにくいことを面と向かって相手に伝えるのは、だれでも気が進まないものです。

とくに相手が自分より目上の人や、利害関係のある取引先の場合、言いたいことも
あえて言わずに飲み込んでしまうこともあるかもしれません。

しかし、**ビジネスの世界では、自分がいいと思うことや正しいと思うことを口に出すことで、物事がより良い方向に進む**ことが少なくありません。

たとえば、女性のファッションの話題になったとき。自分より上の世代が、「女性は女性らしいファッションが好きなはず」という偏った考え方があると感じた場合は、

「**ミレニアル世代の私の立場から申し上げますと、それは差別的だと受け取られる危険性があるので、やめたほうがいいと思います**」

とはっきり言ったほうが、「そうか！　いまはそういう時代なのか」と相手も気づ

+αの語彙力

【吝《やぶさ》かでない】

それをする努力を惜しまないこと。

「その依頼に協力することに吝かではない」

きを得ることができるのです。

とくに中高年のおじさん世代は、自分の古い価値観や考え方に危機感がある人も多いので、若い世代の率直な意見を聞かせてほしいと思っている人もいるのです。

「～はいいですが」という便利な否定形

ただ1つ、注意してほしいのは、「それは違います」などと最初から100％否定しないことです。相手と意見が食い違っても、いったん受けとめるのがコミュニケーションの基本的なマナーなのです。

「たしかに、昔はそういう考え方が主流だったかと思いますが」「方向性としてはいいと思いますが」と、精一杯の配慮を示す前置きを用いましょう。

「方向性〝が〟いい」と、「方向性〝は〟いい」と言うのとでは、ニュアンスが180度

+αの語彙力

【一献《いっこん》】
ちょっとだけお酒を飲むこと。
「それでは一献だけ失礼します」

異なります。前者は肯定していますが、後者は否定が前提となっているからです。

お店で服を試着したときも、「デザインがいいよね」と言うお客さんと、「デザインはいいけど」と言うお客さんでは、前者のほうが買う可能性が高いのと同じことです。

私もレポートの指導で、心のなかで「これはないでしょ」と思っても、本人には「方向性としてはありだけど、ここはこう変えたほうがいいよね」と言うことがあります。

これは日本語独特の曖昧な表現とも言えますが、英語の「indeed～、but～」と同じように、「**確かに～だ、しかし～である**」というフレーズを覚えておくと、いざというとき困らないでしょう。

覚えておきたい
モノの言い方

全体としてみれば

おおまかには

狙いとしては

相手の共感を
得たいときは……

背景としては

人は話の「背景」や「裏事情」に共感する

仕事仲間や取引先と、論理的かつスムーズにやりとりすることは大事です。

その一方で、「この人と仕事がしたい」「このプロジェクトは応援したい」と共感してもらうことも、ビジネスを成功に導く上で欠かせない大きな要因です。

共感度は、感情の動きによって左右されます。そのため、話の背景や自分の経験談を話すと、聞き手の関心を引き共感を呼びやすくなるのです。

背景というのは、「**なぜこのような企画を考えるに至ったのか？**」「**それが生まれたきっかけや動機はなにか？**」といった裏事情を含めたバックグラウンドのことを意味します。

理屈で説得されるよりも感情を動かされたほうが、強いインパクトが心に残るのは、みなさんも日常的に経験していると思います。

＋αの語彙力

【苦衷《くちゅう》】
苦しい心のなか。
「苦衷を察するに余りありますが～」

「1人の人間として話す」ことの大切さ

私の講義でも、ある学生が読んだ本の内容を要約して発表したあと、それを聞いた学生が二人一組になって、要約した内容に絡めた自分のエピソードをお互い語り合ってもらうことがあります。

そうすると、「人から聞いた話」が「自分の話」になり「自分の知識」となって、自分事として人に説明できるようになるんですね。

「**この企画の個人的な背景としましては～**」などと自分の情熱を絡めて伝えることで、「そのとおりだ」「その気持ちはよくわかる」と相手の共感を得られるようにもなるのです。

「ビジネス以前に1人の人間として話しているんだな」という印象を与えることで共感を呼びます。

+αの語彙力
【才幹《さいかん》】
処理能力があること。才能、腕前。
「彼は才幹が優れている」

大抵の人は、表向きの理屈を聞いたあとに裏の事情を聞くと、「そういうことなのか。それならしょうがないよね」と納得しやすいものです。

そういう意味でも、プレゼンテーションで説得材料に欠けると思うときは、自分のことに限らず、その背景となるストーリーやエピソードを用意しておくことです。

それは料理のスパイスのようなものです。

だれがつくっても同じような料理（話）に、背景となるスパイス（個人的な話）を適度にふりかけることで、味や香りが引き立って忘れられない味になるのです。

覚えておきたい
モノの言い方

動機となったのは

きっかけは

端緒としては

「思いつき」を

言うときは……

感覚的に言うと

感性は磨かないと失われてしまう

昭和、平成、令和と時代が変わり、モノを大量生産、大量消費していた社会も変わりました。多様性が当たり前となったいまの時代は、人の趣味も嗜好《しこう》も多様化し、個人のオリジナリティが重視されています。

オリジナリティというのは、全身の感覚から生み出されるものです。

全身感覚で直感的に新しいアイデアを思いついたり、ノリでだれかとコラボしたりする「**ワイルドな知性**」が、これからますます求められるようになるのです。

日本の学校教育も個性的な発想を重視するようにはなりましたが、現状では十分ではありません。

先生から言われたことだけをやって、受け身のまま社会人になった人は、本来持っていたはずのオリジナリティが失われる可能性もあります。

+αの語彙力

【懸隔《けんかく》】

2つの物事がかけ離れていること。

「説明と内容に懸隔がある」

そこで、自分の感性を磨いて研ぎ澄ませるために意識して用いたいのが、「**感覚的に言うと～**」「**直感的には～**」といった言い回しです。

思いつくまま感じたままを口に出してみる

カジュアルな会議や打ち合わせなど、雑談まじりの話し合いの場では、思いついたことを気兼ねなく言いやすいものです。

「**いま注目されているあの広告は、感覚的に言うと、ここが一番おもしろいと思うんですよね**」

「**あの商品のデザインは極端にシンプルなので、直感的に私のようなミニマリストの間で流行ると思います**」

と言えば、「そういう見方もあるのか」とおもしろがってくれるかもしれません。

＋αの語彙力

【慚愧《ざんき》の至《いた》り】
反省して深く恥じること。
「いまさらの話で慚愧の至りですが～」

感覚や直感は人それぞれ違うものですから、良いか悪いかで判断できるものでもありません。要するに、否定や批判をしても仕方がないので、話す相手と場さえ間違えなければ気兼ねなく話してもいいのです。

自分の感性に素直に話ができる人は、人間的な魅力も伝わります。そうすると周りの人たちの親近感もわくので、チームワークもうまくいくようになるのです。

ビジネスの現場は基本的に、スピードと効率性を重視したハードな言語空間で形成されていますが、理詰めの会話だけだとギスギスして息が詰まってしまいます。

私は『雑談力が上がる話し方』（ダイヤモンド社）という本も出していますが、感覚でざっくばらんに話すのはソフトなコミュニケーション力に欠かせない技術です。

覚えておきたい
モノの言い方

フィーリングでは
↓
印象としては
ピンとくる

余計な話を
したくないなら……

3分で
話しますと

言葉の〝ノイズ〟を取り除こう

読みやすい文章は一文が短くて、句読点で適切に区切られています。

話し方も同じなのですが、「ええと……、あの……、これはですね。」などと余計な言葉を入れて、長くなりがちな話し方をする人は、頭が整理されていない印象を与えてしまいます。

こうした〝ノイズ〟となる言葉が意味しているのは「根詰まり」です。頭のなかで、なにをどういう順番で話すかが整理されていないので、考えている間に余計な言葉を羅列してしまうのです。

なかには、「ええと……、あの……」が口癖になっていて、思考が詰まっているという感覚さえない人もいます。

それでも、本人が自覚して改善しようとすれば、意外と簡単に言葉のノイズは取り

＋αの語彙力

【しかのみならず】
それればかりではなく、それに加えて。
「これは高い。しかのみならず、品質も悪い」

除くことができます。

有効なのは、あらかじめ話す時間を制限することです。具体的には、「**3分で話しますと〜**」「**では10分で説明します**」というふうに、最初に時間設定するのです。

それでも、ついダラダラと話してしまうことはありますが、「3分しかない」「持ち時間は10分だ」といった時間感覚を持つことで、簡潔に話すことを意識するようになります。

主語と述語の〝ねじれ〟に気をつける

短く話すコツとして、主語と述語が〝ねじれ〟を起こさないことも必要です。

たとえば野球の解説者が「私は……」と話しはじめたのに、「コース的にちょっと低かったですね」と続けると、主語が私なのかボールなのかわからなくなります。話

+αの語彙力

【太公望《たいこうぼう》】
釣り好きな人のこと。
「あの人、無趣味に見えて太公望らしい」

が長い人は、こうした主語と述語の〝ねじれ〟が起きることがよくあります。

この〝ねじれ〟をなくすのも書き言葉と同じように、**「私は、このように考えています」「このプロジェクトは、いまこの段階まで進んでいます」**と、内容をひとつひとつ短く区切って話すことです。そうすると、ダラダラ話しているときにありがちな〝話の重複〟もなくなります。

書くように話す。これができれば、話し方はスマートになります。

強調したいことを繰り返すことは悪くありませんが、短時間で無駄なく話す技術を身につけているのが、頭のいい人の話し方の特徴なのです。

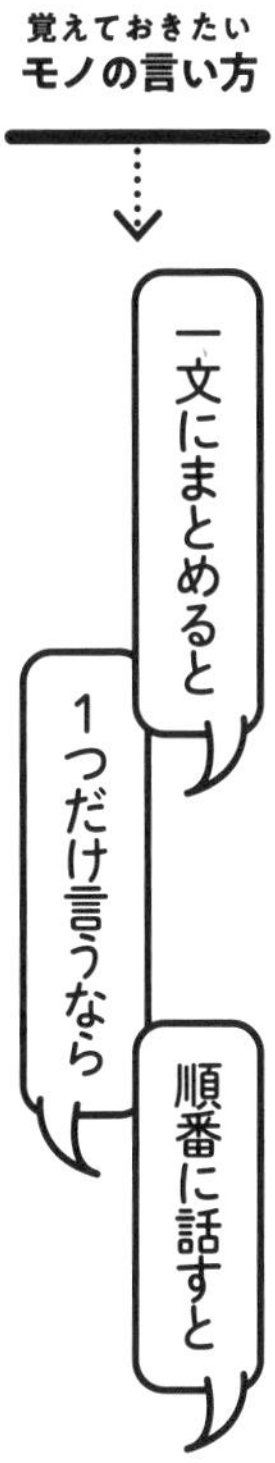
覚えておきたい
モノの言い方
一文にまとめると
1つだけ言うなら
順番に話すと

第5章のまとめ

- 相手の心を開きたいときは……
「ありていに言えば」

- 自分の意見を通したいときは……
「代替案としては」

- 説得力を高めたいなら……
「メリットは」「デメリットは」

- 専門的なことを話すときは……
「キーワードは」

- 話を短くしたいときは……
「シンプルに言うと」

- 聞き手を納得させたいときは……
「エビデンスは」

- 細かい話をするときは……
「厳密に言うと」

- 言いにくいことを言いたいときは……
「方向性としては」

- 相手の共感を得たいときは……
「背景としては」

- 「思いつき」を言うときは……
「感覚的に言うと」

- 余計な話をしたくないなら……
「３分で話しますと」

著者プロフィール

齋藤孝（さいとう・たかし）

1960年静岡県生まれ。東京大学法学部卒業。同大学大学院教育学研究科博士課程を経て、明治大学文学部教授。専門は教育学、身体論、コミュニケーション論。ベストセラー著作家、文化人として多くのメディアに登場。著書に『声に出して読みたい日本語』（草思社文庫、毎日出版文化賞特別賞）、『身体感覚を取り戻す』（NHKブックス、新潮学芸賞）、『雑談力が上がる話し方』『1冊読み切る読書術』（ダイヤモンド社）、『大人の語彙力ノート』（SBクリエイティブ）など多数。

頭がいい人のモノの言い方
デキる!と思われる45のフレーズ

2020年7月10日　第1刷発行

著者　齋藤孝

発行者　櫻井秀勲

発行所　きずな出版
東京都新宿区白銀町1-13　〒162-0816
電話 03-3260-0391　振替 00160-2-633551
https://kizuna-pub.jp/

印刷・製本　モリモト印刷

ISBN978-4-86663-114-1

きずな出版